MIGUEL DE UNAMUNO
A LA LUZ DE LA PSICOLOGIA

JOSE LUIS ABELLÁN

MIGUEL DE UNAMUNO
A LA LUZ DE LA PSICOLOGIA

UNA INTERPRETACION DE UNAMUNO
DESDE LA PSICOLOGIA INDIVIDUAL

EDITORIAL
TECNOS, S. A.
MADRID

© EDITORIAL TECNOS, S. A., 1964.
Calle O'Donnell, 27, 1.º izq. Tel. 225 61 92. Madrid (9).
Depósito Legal: M. 7.470-1964.
Núm. Regtro: 260-64.

Gráficas Universo. Santoña, 37. MADRID.

INTRODUCCION

Este libro ha surgido, pese a todas las apariencias en contra, de un afán unamuniano: el interés por el hombre concreto, de carne y hueso, ese hombre que bebe, come, duerme, juega, piensa y sueña, que en este caso no es otro que Miguel de Unamuno.

Es don Miguel —y sigue siendo— una de las personalidades más atractivas que ha habido en España, en todos los tiempos. Esta sugestión se ejerce en todos los ambientes y en las más diversas clases de gentes, desde poetas, biógrafos, novelistas, hasta médicos, psicólogos e historiadores, pasando por los hombres de ensayo, filósofos y teólogos. Este hecho extraordinario, esta atracción sin reservas —sea positiva o negativa— es lo primero que hay que observar de Unamuno, que una crítica actual e imparcial debe observar sobre él; ello se hace especialmente patente a través de la enorme riqueza de estudios y trabajos hechos sobre su persona y los diversos aspectos de su obra.

Los motivos de esta atracción son varios, pero fundamentalmente pueden resumirse en aquellos que tienen su base en la persona y los que la tienen en la obra. Los primeros encuentran su razón de ser en ese extraño magnetismo, en esa fascinación especial que ejerce la personalidad singular y original de Unamuno, personalidad rica, llena de profundidad de matices y recovecos, de sorprendentes contradicciones, paradojas y excentricidades; los segundos vienen producidos por la pluralidad de temas, el interés de las materias que trata, así como las extravagantes opiniones, los juicios a veces disparatados, a veces profundísimos y brillantes y también la constante sugestión de su estilo y de sus intuiciones, llenas de reflejos, de sugerencias, de incitaciones para la meditación y el pensamiento. Son esta serie de motivos los que condicionan la atracción que Unamuno ejerce, no sólo sobre los hombres más diversos, sino sobre toda clase de doctrinas, de posiciones, de ideologías, de escuelas y partidos, haciendo que se lo disputen unos y otros, o que, a veces por el contrario —y no es muestra de menos interés—, rivalicen en menospreciarle. Este deseo de atraer hacia el campo propio la personalidad unamuniana ha hecho que se le califique —y todo ello con sobrado motivo— de católico y de protestante, místico y ateo, existencialista y espiritualista, vitalista y materialista, pragmatista y racionalista, monárquico y republicano, socialista y fascista; pero, en definitiva, individualista a ultranza, personalista radical y sin posibilidad de remedio, o mejor, puesto que repudiaba todos los ismos, individual y personal, "porque yo, Miguel de Unamuno, como cualquier hombre que aspire a conciencia plena, soy especie única".

Pero, efectivamente, no sólo nos guía el afán unamuniano por el hombre, sino otro afán no tan unamuniano: el interés por la verdad, el deseo de una máxima objetividad. Ello nos lleva a nuestra pregunta radical: ¿Qué clase de hombre es, en realidad, este Unamuno, que aguanta toda interpretación, que puede ser movilizado para la defensa de las doctrinas más dispares? Contestar a esta pregunta supone el esfuerzo que nos lleva a escribir este libro, pero supone también declarar la insuficiencia y parcialidad de casi todas las interpretaciones anteriores. Es esta insuficiencia la que nos ha puesto sobre aviso, nos ha llevado a una investigación detallada de su obra y nos ha remitido, por último, a un punto de vista psicológico para la comprensión total de su personalidad.

La necesidad de esta interpretación psicológica de que hablamos viene impuesta por un hecho: el punto de vista que han adoptado sobre él la mayoría de los comentaristas es vario y plural. Cada uno ve en Unamuno lo que necesita o quiere ver. La razón es simple. El ideario filosófico de Unamuno no responde a ningún sistema; más aún, ni siquiera goza de una continuidad ideológica. En todo caso se podría hablar paradójicamente de un sistema de la contradicción, de la duda o la "agonía", como a él le placía. Las recopilaciones sistemáticas que se han hecho de sus doctrinas obedecen a interpretaciones de su pensamiento, pero no a su sentido y verdad originales. Esto ocurre con Julián Marías, que enfoca a Unamuno desde un ángulo orteguiano; con Serrano Poncela y Lázaro Ros, que hacen de él un nuevo existencialista; con Sánchez Barbudo, que lo considera un ateo solapado; con Aranguren, que lo convierte en un apóstol del protestantismo español. Este exclusivismo parcialista en la interpretación de Unamuno nos lanza a la búsqueda de una comprensión totalitaria, de un punto de vista unitario, que nos dé una visión unificada de la discontinua y contradictoria realidad unamuniana. Pero sólo en una detallada investigación psicológica, logramos este propósito, pues ella nos introduce en lo más entrañable de su personalidad, y únicamente cuando aclaramos y comprendemos ésta, es posible también aclarar y comprender no sólo el sentido de su vida, sino el de su obra: ese "sentimiento trágico de la vida", esa filosofía —si es que puede llamarse así— guerrera y angustiada que corre a lo largo de todas sus páginas. Es entonces cuando cobramos conciencia de la tragedia que anida bajo todo él: una enorme inteligencia asentada sobre una deformación psicológica, que siembra su obra de errores innecesarios junto a genialidades asombrosas. Y a través de un estudio semejante es como se nos aclara lo que Unamuno llamaba sus "entrañas" o, con nombre más propio, su "intrahistoria"; es decir, sus motivos y tendencias más profundas, los estratos más hondos y permanentes de su personalidad.

El trabajo de investigación psicológica ha sido realizado en dos dimensiones —profundidad y extensión—, que se implican mutuamente y sin cuyo desarrollo habría resultado no sólo parcial, sino equivocado. El desarrollo en extensión nos ha llevado a una visión evolutiva de la psicología de Unamuno, con la que hemos realizado dos hallazgos esenciales. Primero, que muchas de las contradicciones inherentes a su pensamiento se reducen a etapas o estadios de su itinerario intelectual.

Segundo, que el verdadero interés de su personalidad no reside en sus elaboraciones intelectuales o filosóficas, sino en la experiencia espiritual que aporta. Unamuno, ha llegado la hora de declararlo taxativamente y sin rodeos, no era un intelectual, sino un espiritual, un *homo religiosus*. A esta faceta de su espiritualidad, como expresión y manifestación de ella, hay que unir sus textos literarios y poéticos, mientras que los ensayos filosóficos nos hablan normalmente de sus problemas psicológicos o de su gran cultura.

Por otro lado, el desarrollo en profundidad nos remite a su neurosis que surge del enfrentamiento entre dos conflictos de su personalidad que hasta ahora no se habían deslindado claramente. Me refiero, por un lado, al conflicto entre sus necesidades de fama y religión, el yo íntimo y el social; por otro, a la conocida contraposición entre la razón y la fe (el conflicto de su "cristianismo agónico", que le llevó al "sentimiento trágico de la vida"). El primero de ellos le condujo a tendencias regresivas muy acusadas, manifestadas bajo la expresión literaria del mito de la madre y la vuelta a la infancia; el segundo de los conflictos nos lo ofrece bajo la forma de una racionalización filosófica que oculta su sentido psicológico. Por eso ambos conflictos no se habían separado con la suficiente precisión, ni se había estudiado con detenimiento el contenido de cada uno de ellos. Por el contrario, en la inmensa mayoría de los trabajos realizados se confunden los dos conflictos originando esa oscuridad que nos presentan casi todos los estudios sobre la personalidad de Unamuno. Esperamos que a raíz de nuestra aportación las cosas queden lo suficientemente claras y delimitadas.

Un estudio psicológico de esta índole nos ha remitido al problema de las relaciones entre el genio y la locura y, más ampliamente aún, entre las creaciones del espíritu y las enfermedades mentales. "Non est ingenium sine mixtura dementiae", decía ya Séneca. Los estudios realizados en este sentido parece que no han llegado a conclusiones definitivas, aunque se ha dado por sentado, primero, una correlación estadística entre la genialidad y la locura; segundo, una equiparación cualitativa entre la inteligencia del loco y la del genio, cuya esencia consiste en la capacidad de captar relaciones nuevas.

Los problemas que se plantean a partir de estas bases son múltiples. Por el momento, vamos a limitarnos a la cuestión que se refiere al valor intelectual de las creaciones del loco; en general, se admite que las relaciones nuevas son en el caso del loco incomprensibles, mientras en el genio se incorporan a la vida de los demás hombres como grandes creaciones de la cultura. Sin embargo, bajo esta distinción fenomenológica permanece el hecho de que, desde un punto de vista biológico, el genio y el loco son equiparables, si no idénticos, pues es muy corriente —según la opinión de Karl Krestchmer— "entre las naturalezas geniales encontrar multitud de síntomas clasificables indudablemente entre los patológicos; entre otros, predisposición al delirio persecutorio, tendencia a las reacciones afectivas psicógenas y perturbaciones mentales manifiestas en los consanguíneos próximos de la persona en cuestión".

Esto ha conducido a una conclusión generalmente aceptada por todo el mundo, y es que la locura o simplemente el trastorno mental no puede utilizarse como criterio acerca del valor intelectual o artístico de las creaciones de un hombre; sobre ello han de juzgar criterios meramente intelectuales o artísticos, pero nunca los traídos de otros planos de consideración. Sin embargo, sospechamos que la Medicina psicosomática ha de traer nuevas conclusiones y enfoques a un tema tan delicado y debatido. Por lo pronto, y limitándonos a lo que para nosotros es de un interés inmediato —el caso Unamuno—, hemos de introducir alguna precisión. Se trata de que, a nuestro modo de ver, las creaciones intelectuales de Unamuno quedan invalidadas por su egocentrismo. No ocurre esto, en lo referente a sus novelas, al teatro o la poesía que son textos literarios en que predomina lo psicológico y lo estético, pero sí en los ensayos donde las motivaciones deben ser el interés por la verdad. Efectivamente, una base psicológica falsa o enferma puede ser fatal en la investigación de la verdad. Piénsese en el caso de un hombre que, bajo el pretexto de buscar la verdad, subordinase el pensamiento a sus necesidades individuales. Pues bien, este es el caso de Unamuno. Sus elucubraciones no tienen el fin desinteresado de un encuentro con lo objetivo, sino que responden al anhelo desesperado de un *consuelo* para su alma angustiada. En esta situación mal puede uno toparse con la verdad.

La conclusión que se nos impone, a este respecto, es que las enfermedades mentales en que el egocentrismo juega un papel central, suponen por sí mismas un criterio acerca de las doctrinas o teorías filosóficas del hombre que lo padece. Ahora bien —y aquí surge una objeción importante—, ¿el egocentrismo de un hombre supone el de sus doctrinas? ¿La base psicológica se mezcla siempre en el pensamiento especulativo? La contestación a esta pregunta resulta más difícil de lo que a simple vista pudiera parecer; para salvar su escollo sólo nos queda realizar un análisis psicológico no del hombre, sino de la obra en cuestión. Nuestra tarea, en este sentido, sin embargo, no se ha limitado a este aspecto; hemos realizado un análisis de la obra de Unamuno, desde luego, pero también —y aún con mayor interés— de su personalidad a través de dicha obra.

Intimamente relacionado con todos estos problemas está el tema de la sinceridad que nos ocupa todo un parágrafo; efectivamente, en toda la obra unamuniana late la cuestión acerca de la sinceridad y la veracidad y de su validez como método de acercamiento a la verdad. Se trata nada menos que del problema que hoy ha planteado la moderna ética existencialista en torno al valor de la "autenticidad". En este sentido, el estudio de Unamuno es ampliamente provechoso, pues es claro ejemplo de como la sinceridad consigo mismo no basta, si no va acompañada de una adecuada concepción del mundo, de una orientación objetiva. La subjetividad por sí sola ha demostrado no sólo su insuficiencia, sino su maleficio.

En estrecha relación con su egocentrismo se halla la cuestión tocante a la religiosidad de Unamuno. Hemos procurado, en esto como en todo, alcanzar la máxima objetividad, y hemos obtenido dos conclusiones. En lo que se refiere al pensamiento religioso consciente de Unamuno, deducimos que su religiosidad fue desviada por su vanidad hacia la franca heterodoxia hasta la creación de una concepción religiosa original que hemos calificado, tomando sus propias palabras, de "catolicismo popular español". Por lo que toca a su religiosidad inconsciente, es decir, a la forma en que realmente fue guiado hacia la morada divina, llegamos a la conclusión de que su regresión psicológica, conducida por el mito de la madre, le llevó a un aspecto femenino de la divinidad que podemos identificar prácticamente con el panteísmo.

Estos son los puntos de mayor interés que queríamos dejar señalados en esta introducción. Por lo demás, haremos referencia a la influencia que siempre ejerció el paisaje y el ambiente sobre la obra unamuniana, condicionándola en gran medida. A este respecto incidimos especialmente en el conflicto entre Vasconia, su patria nativa, y Castilla, la adoptiva. Había sido ya señalado este aspecto de su obra por algún comentarista anterior; sin embargo, hemos querido hacer también hincapié en él por juzgarlo de sumo interés para su comprensión total.

Quizá sea conveniente salir al paso en este lugar de un posible reproche que al autor le ha comunicado algún lector del original inédito. Se trata de las repeticiones que encontramos en la obra. No han pasado éstas inadvertidas a nuestra vigilancia, sino que son una característica intrínseca al trabajo acometido. Está montado éste sobre el que llamo método de los círculos concéntricos, consistente en acotar el tema a tratar —en este caso la personalidad de Unamuno— e ir cercándolo mediante vueltas en espiral cada vez más apretadas y profundas, hasta revelar su más hondo significado posible.

Y, por último, indicar a nuestros lectores que este libro tiene una pretensión científica con la que no tratamos de devaluar su interés literario. Hemos aplicado nuestro máximo esfuerzo en ambos sentidos. Por lo que respecta a lo literario, nada queda por decir, sino esperar. En lo que se refiere al aspecto científico hemos de poner en conocimiento de los lectores que la interpretación psicológica cae exclusivamente, en sentido ortodoxo, dentro de la Psicología individual de Adler y Künkel.

Nada más. Sólo desear que esta obra contribuya, efectivamente, tal y como ha sido nuestro propósito, al conocimiento y comprensión de una de las figuras más altas de nuestra espiritualidad.

Madrid, 23 de diciembre de 1959

SIGLAS

Al objeto de aligerar el aparato bibliográfico del libro hemos decidido designar las obras de Unamuno mediante siglas representativas de los títulos de las obras, seguidas del tomo en números romanos (si es obra en varios volúmenes) y a continuación el número de la página en cifras arábigas. Las siglas y las ediciones a que corresponde la paginación son las siguientes:

AV.   *Andanzas y visiones españolas*. Renacimiento. Madrid, 1922.
C.   *Cancionero*. Losada. Buenos Aires, 1953.
CHN.   *Cómo se hace una novela*. Alba. Buenos Aires, 1927.
CV.   *El Cristo de Velázquez*. Calpe. Buenos Aires, 1947.
CI.   *Cuenca Ibérica*. Séneca. México, 1943.
DD.   *Dos artículos y dos discursos*. Historia Nueva. Madrid, 1930.
E.   *Ensayos*. Aguilar. Madrid, 1958 (2 volúmenes).
EM.   *El espejo de la muerte*. Calpe. Buenos Aires, 1957.
FP.   *De Fuerteventura a París*. Excelsior. París, 1925.
MP.   *De mi país*. Calpe. Buenos Aires, 1959.
N.   *Niebla*. Calpe. Buenos Aires, 1950.
OC.   *Obras completas*. Afrodisio Aguado. Madrid, 1958 (10 vols.).
P.   *Poesías*. Bilbao, 1907.
PA.   *Paisajes del alma*. Madrid, 1944.
PG.   *Paz en la guerra*. Calpe. Buenos Aires, 1956.
PT.   *Por tierras de Portugal y España*. Calpe. Buenos Aires, 1955.
RD.   *Romancero del destierro*. Alba. Buenos Aires, 1928.
RN.   *Recuerdos de niñez y mocedad*. Calpe. Buenos Aires, 1946.
RSL.   *Rosario de sonetos líricos*. Imprenta española. Madrid, ,1911.
SMB.   *San Manuel Bueno, mártir, y tres historias más*. Calpe. Buenos Aires, 1951.
TC.   *Teatro completo*. Aguilar. Madrid, 1959.
TN.   *Tres novelas ejemplares y un prólogo*. Calpe. Buenos Aires, 1958.
TT.   *La tía Tula*. Calpe. Buenos Aires, 1952.
VC.   *Visiones y comentarios*. Calpe. Buenos Aires, 1952.

Además van también con siglas las siguientes obras sobre Unamuno:

UTI.   GONZÁLEZ CAMINERO, NEMESIO: *Unamuno. Trayectoria de su ideología y de su crisis religiosa*. Santander, 1948.
EUM.   SÁNCHEZ BARBUDO, A.: *Estudios sobre Unamuno y Machado*. Guadarrama. Madrid, 1959.
RU.   GRANJEL, LUIS S.: *Retrato de Unamuno*. Guadarrama. Madrid, 1957.
DRU.   BENÍTEZ, HERNÁN: *El drama religioso de Unamuno*. Univer. de Buenos Aires, 1949.
PU.   SERRANO PONCELA, S.: *El pensamiento de Unamuno*. FCE. México, 1953.
MU.   MARÍAS, JULIÁN: *Miguel de Unamuno*. Calpe. Buenos Aires, 1950.

"Aunque estuviesen los filósofos en disposición de descubrir la verdad, ¿quién de entre ellos se interesaría en ella? No hay uno solo que, en llegando a conocer lo verdadero y lo falso, no prefiera la mentira que ha hallado a la verdad descubierta por otro. ¿Dónde está el filósofo que no engañase de buen grado, por su gloria, al género humano? ¿Dónde está el que en el secreto de su corazón se proponga otro objeto que distinguirse?"

(J. J. Rousseau, *Emilio*.)

PRIMERA PARTE

EL HOMBRE Y SU CIRCUNSTANCIA ·

I. NIÑEZ, ADOLESCENCIA Y JUVENTUD
(1864-1895)

1. *Los primeros años*

La mayoría de los estudios sobre Unamuno, tanto las biografías como los ensayos más diversos, suelen empezar señalando la fecha y el lugar de nacimiento de don Miguel. No se trata de la fácil tendencia a empezar el estudio de un hombre señalando su origen cronológico y geográfico; tampoco se trata de una banalidad. Es algo profundo. Sencillamente, el hecho de que estos dos datos —Bilbao, 1864— determinan radicalmente una máxima parcela de su personalidad.

En un estudio como éste no podemos detenernos en examinar todos los acontecimientos de la vida de Unamuno. Para eso ya están las biografías al uso, y a ellas remitimos al lector (1). Sin embargo, vamos a afincarnos en aquellos datos que ejercieron una influencia en su formación y desarrollo. Este es el caso de su lugar de nacimiento, Bilbao, "mi mundo, mi verdadero mundo, la placenta de mi espíritu embrionario, el que fraguó la roca sobre la que mi visión del universo se posa", según sus propias palabras (2). Unamuno pasa allí toda

---

(1) El que quiera tener una idea esquemática puede consultar la *Biografía cronológica,* al final de este libro.
(2) MP.,130.

su niñez y parte de su adolescencia, hasta que en septiembre de 1880, a los dieciséis años, se aleja por primera vez de su patria chica para estudiar la carrera de Filosofía y Letras en Madrid. En 1884, terminada la licenciatura y el doctorado, vuelve a Bilbao, donde prepara oposiciones y da clases particulares. En 1891, al ganar la cátedra de griego, se instala en Salamanca; allí entra en contacto con Castilla y su paisaje y nuevas influencias vienen a modificar su personalidad.

La repercusión que en él ejerce, no sólo su ciudad natal, sino su tierra entera, Vasconia —la que llama patria sensitiva o sentimental—, obedece tanto a la natural influencia del medio geográfico sobre el modo de ser de las personas, como a la peculiar sensibilidad que Unamuno tenía para el paisaje. Esta íntima comunión con el paisaje y la naturaleza es algo tan hondo en su modo de sentir que conforma una gran parte de su pensamiento y de su evolución; él mismo reconoce esta característica suya cuando afirma: "Sí, soy y he sido siempre un gran amante de la Naturaleza, en su carácter más verdadero y simple; prefiero cualquier bravío rincón de montaña a los jardines de todo Versalles, sin que esto quiera decir que no me gusten estos jardines. Si, en tratándose de la naturaleza me gusta toda, lo mismo la salvaje y suelta que la doméstica y enjaulada, aunque prefiero aquélla. En cuanto dispongo de unos días de vacaciones —menos ¡ay! muchas veces de las que me harían falta— me echo al campo, a restregar mi vista en frescor de verdura y en aire libre mi pecho" (3).

La influencia del paisaje en Unamuno ha sido poco estudiada por los comentaristas. Es Luis Granjel quien de un modo más consciente se refiere a ella dándole la importancia fundamental que en este caso tiene. Por lo que se refiere a su ciudad natal, Unamuno no ignora el impacto que ejerció en su niñez pasada, pues su ambiente "es el que sirve de núcleo y alma a mis ensueños del porvenir remoto" (4); de la ría bilbaína —el Nervión—, "esa ría maravillosa, a la que entre sus brazos amparan las montañas", afirma que "ha llegado a veces a hacerse

---

(3)   PT., 182.
(4)   MP., 12.

exclama: "¡Bilbao!, villa fuerte y ansiosa, hija del abrazo del consustancial con mi espíritu" (5), y al final del mismo libro mar con las montañas, cuna de ambiciosos mercaderes, hogar de mi alma. ¡Bilbao querido! A ti como a su norte, se vuelve cuando posa en tierra mi corazón. Tú, tú me lo has hecho" (6). nativa y la de sus antepasados, pues él se considera "un espíritu genuinamente vasco" (7), que ofrece siempre "lealtad de vasco" (8), hasta el punto de que "tengo metido en la cabeza de que si algo significo es porque mi raza ha llegado en mí a Lo mismo podemos afirmar del paisaje de Vasconia, su tierra conciencia de sí misma. Y tenga en cuenta que yo lo soy —vasco— puro por los dieciséis costados" (9).

Este vasquismo de Unamuno no es sólo cuestión de herencia biológica como él afirma —"nosotros somos carne de la carne de nuestros padres, sangre de su sangre; nuestro cuerpo se amasó con la tierra de que ellos se nutrieron" (10)—, sino de la visión espiritual, de compenetración anímica con el paisaje, pues "el hombre no sólo se adapta al ámbito, sino que se lo adopta, y va así haciendo suya la tierra, primero con la fuerza, con la inteligencia después..., comprendiendo al mundo, reduciéndolo a viva representación ideal" (11). La constante visión y asimilación del paisaje que le vio nacer ejerce en Unamuno una influencia decisiva en el desarrollo de su personalidad; lo reconoce también él al decir: "debe ser singular el efecto que cada paisaje produzca sobre los que a continuo lo contemplen desde la niñez" (12) y "yo tengo siempre a la vista interior aquella cuna de mi espíritu que me lo envolvió en el azul continuo y apaciguador de las montañas, el azul oscuro y severo que adormece angustias y pesares que, al nacer, traemos pegados a la carne" (13); todavía

(5)   R.N., 90.
(6)   Ibid., 149.
(7)   Carta a *Clarín;* Salamanca, 31 de mayo de 1895.
(8)   Ibid., 26 de junio de 1895.
(9)   E., II, 15.
(10)   Ibid., 289.
(11)   E., II, 285.
(12)   MP., 16.
(13)   MP., 15-6.

más explícito es en su libro *Andanzas y visiones españolas*, cuando afirma: "Aquellos paisajes que fueron la primera leche de nuestra alma; aquellas montañas, valles o llanuras en que se amamantó nuestro espíritu cuando aún no hablaba, todo eso nos acompaña hasta la muerte y forma como el meollo, el tuétano de los huesos del alma misma" (14).

Ahora bien, es posible, a pesar de estos claros testimonios, que ni Unamuno ni nosotros mismos hasta el final de este libro nos demos cuenta de la profunda repercusión, del hondo significado que el paisaje vasco, la tierra materna y nutricia de su niñez y mocedad, tuvieron en su evolución personal, intelectual y hasta religiosa; ese paisaje en el que "todo parece estar al alcance de la mano y hecho a la medida del hombre que lo habita y anima; es un paisaje doméstico, de hogar, en el que se ve más tierra que cielo; es un nido" (15).

Junto a la influencia solapada y constante, consciente y subconsciente de este paisaje hemos de tomar también en consideración otras influencias sobre su personalidad; son éstas la religiosidad profunda de sus primeros años y un incipiente afán de saber que nunca fue calmado.

La religiosidad de Unamuno se asentaba en terreno sólido, hasta afirmar con convicción que "no puede tenerse por verdadero hombre quien no haya pasado por lo menos un período sinceramente religioso, que aun cuando pierda su perfume, su oculta savia le vivificará" (16); período pasado en Unamuno "en una edad en que la mente no podía aún fijarse en el tremendo misterio del mal, de la muerte y del sentido"...; "edad en que la imaginación se me dejaba brizar en la poesía exquisita de la vida de santidad"...; "edad en que, en medio de misterios, penetra al alma la serenidad de vida y sólo se imagina la muerte en remota lejanía, confundidos sus confines con los de la vida", y cuyas aspiraciones culminaban en el "soñaba ser santo" (17). Esta atracción por la vida religiosa le lleva a

---

(14)   AV., 33.
(15)   MP., 16.
(16)   RN., 107.
(17)   Ibid., 109.

creerse llamado al sacerdocio, como delicadamente relata a Jiménez Ilundain (18).

Intimamente ligada a esta religiosidad encontramos una preocupación que no le abandonó a Unamuno en toda su vida y que ha de constituir uno de los *leiv motiv* de su filosofía: la preocupación por la muerte, que tiene lugar por primera vez con la impresión que le produjo la muerte de un mucha-cho compañero del colegio. "Es un momento solemne —nos dice— cuando la muerte se nos revela por primera vez, cuan-do sentimos que nos hemos de morir" (19). A esta época se debe referir aquel párrafo del *Sentimiento trágico,* en el que dice: "De mí sé decir que cuando era mozo, y aun de niño, no lograron conmoverme las patéticas pinturas que del infierno me hacían, pues ya desde entonces nada se me aparecía tan horrible como la nada misma. Era una furiosa hambre de ser, un apetito de divinidad, como nuestro ascético dijo" (20).

El afán de saber es otra característica de estos primeros años mozos. Relata Unamuno con apasionada emoción el des-pertar de aquellas primeras ansias. "Enamorábame —dice— de lo último que leía, estimando hoy verdadero lo que ayer absurdo; consumíame en un ansia devoradora de esclarecer los eternos problemas; sentíame peloteado de unas ideas a otras, y este continuo vaivén, en vez de engendrar en mí un escepticismo desolador, me daba cada vez más fe en la inte-

(18)   "Siendo 'casi un niño', al volver de comulgar, don Miguel se decide a abrir el Evangelio al azar y poner el dedo sobre un versillo. Le sale aquél que dice: 'Id y predicad el Evangelio por todas las na-ciones'. Don Miguel se estremece. ¿Deberá hacerse sacerdote? 'Pero ya entonces —dice— como estaba en relaciones con la que hoy es mi mujer, decidí tentar de nuevo y pedir aclaraciones'. Abre otra vez el Evangelio al volver de comulgar y le sale el versillo 27, del capítu-lo IX de San Juan: 'Ya os lo he dicho y no habéis atendido, ¿por qué lo queréis oir otra vez'... Don Miguel termina su relación: 'En mucho tiempo repercutió la sentencia en mi interior y el recuerdo de aque-llas palabras me ha seguido siempre'". (Carta a P. Jiménez Ilundain. Salamanca, 25 de mayo de 1898, citada por Pemán en el artículo *Una-muno o la Gracia resistida.* "ABC", 29 de marzo de 1949.)

(19)   RN., 54.
(20)   E. II, 736.

ligencia humana y más esperanza de alcanzar alguna vez un rayo de la verdad" (21). Más adelante nos cuenta su primer encuentro con la filosofía en el cuarto curso de bachillerato, en que "leí a Balmes y a Donoso, únicos escritores que encontré en la biblioteca de mi padre. Por Balmes me enteré de que había un Kant, un Descartes, un Hegel. Apenas entendía yo palabra de su *Filosofía Fundamental,* y, sin embargo, con un ahínco grande, el ahínco mismo que aplicado después a la gimnasia regeneró mi cuerpo, me empeñé en leerla entera y la leí". Y luego, al hablarnos de los frutos que sacó del bachillerato, se refiere a "un mundo nuevo apenas vislumbrado por mí", en el que descubre "que tras de aquellas áridas enseñanzas, despojos de ciencia, había la ciencia viva que la produjera; que la hermosura de reflejo que, como la luna su lumbre, derramaban aún aquellas disciplinas y lecciones sobre mi mente, aunque pálida y fría, era el reflejo de un sol vivo, de un sol vivificante, del sol de la ciencia. Salí —nos confiesa, al fin— enamorado del saber" (22).

Esta inquietud intelectual, este desaforado afán de saber, es un rasgo que permanece ya constante en la vida de Unamuno; ello le llevó a querer relacionar su fe, con lo que inicia el camino hacia el descreimiento que más tarde se producirá en él.

Pero, por encima de estos caracteres —tanto su religiosidad como su afán de saber—, quiero hacer hincapié en lo que a mí me parece más importante, lo que más honda huella deja en las entrañas de su persona y lo que en definitiva también ha de alcanzar una última decisión en el desarrollo de su personalidad espiritual: el vasquismo, la compenetración de todo el ser de Unamuno con la tierra y el paisaje vasco, esa geografía materna a la que necesita volver una y otra vez, como Anteo a la tierra, para recoger fuerzas en su duro peregrinar por el camino de la fama eterna, del eterno afán de renombre y gloria.

---

(21) RN., 102.
(22) Ibid., 116.

Vuelvo a tí, mi niñez, como volvía
a tierra, a recobrar fuerzas Anteo;
cuando en tus brazos yazgo, en mí me veo,
es así lo mejor tu compañía.

(P., 332)

2. *Los estudios universitarios*

Es hasta tal punto esto verdad que los años que Unamuno pasa en Madrid estudiando Filosofía y Letras (1880-84), tienen como repercusión principal en su ánimo precisamente esa: la sublimación de sus sentimientos por la tierra de origen. Se ha repetido ya con saciedad por los comentaristas aquel desprecio de que Unamuno hizo gala cuando se refería a Madrid. "Suelo experimentar en Madrid —decía— un cansancio especial al que llamaré cansancio de la corte." Y es conocida aquella descripción en la que afirma: "Cada una de mis estancias —nunca largas— en Madrid, restaura y como que alimenta mis reservas de tristeza y melancolía. Me evoca la impresión que me causó mi primera entrada en la corte, el año 80, teniendo yo dieciséis; una impresión deprimente y tristísima, bien lo recuerdo. Al subir, en las primeras horas de la mañana, por la cuesta de San Vicente, parecíame trascender todo a despojos y barreduras; fue la impresión penosa que produce un salón en que ha habido baile público, cuando por la mañana siguiente se abren las ventanas para que se orée, y se empieza a barrer" (23).

Este menosprecio por la gran ciudad obedece, más que a un resentimiento contra ella, a lo que suponía de separación de su Vasconia, del paisaje, de la tierra, de la lengua, de la que ya entonces era su novia; así, se aprecia con claridad cuando Unamuno califica de "mozo morriñoso" al que era por entonces y cuando le habla a González Ruano de "aquel primer año de destierro en Madrid" o lo dice: "Madrid me fue

(23) E., I, 361.

hostil desde el primer día, como me lo ha sido París. Tengo de aquellos años un recuerdo confuso, triste..., sólo vivía para recordar mi tierra y soñar en volver a ella" (24). Y para sentirse más cerca de su pueblo frecuenta el Círculo Vasco-Navarro y los domingos por la mañana acude a la Fuente de la Teja para oir hablar a las criadas vascas que allí se reunían. La depuración y sublimación de su amor por Vasconia es, a mi modo de ver, lo más importante que cabe señalar de estos años del "destierro" en Madrid de Unamuno.

Sin embargo, hemos de constatar también otro hecho que ejercerá una influencia decisiva en los años próximos de su evolución y que iniciará el conflicto en que se desarrolló su vida. Su estancia en Madrid coincide con el imperio intelectual del krausismo, a cuyo través cobró nuevo vuelo aquel racionalismo incipiente de su adolescencia. No vamos a detenernos a examinar ahora los influjos intelectuales que obraron en estos años en la formación del pensamiento unamuniano, pero sí señalar las consecuencias que alcanzaron en la pérdida de su fe religiosa.

Los textos de Unamuno son claros a este respecto. En una carta a *Clarín* relata el hecho: "Hace tiempo que tengo el proyecto de escribir un cuento que se reduzca a esto: llega a Madrid un muchacho llevando en su alma una honda educación religiosa y sentimientos de delicada religiosidad; bajo esa capa protectora que le aísla de cierto ambiente se robustecen sus sentimientos morales de profunda seriedad de la vida, y llega un día en que no necesitando de la cubierta y resultando pequeña ésta, la rompe. En puro querer racionalizar su fe la pierde (así me sucedió), como lleva a Dios en la médula del alma no necesita creer en él; exacto reflejo; todo ello ha sido labor interna, es hondamente religioso y no necesita ser creyente" (25).

---

(24) C. GONZÁLEZ RUANO: *Vida, pensamiento y aventura de Miguel de Unamuno*. Madrid, 1954, p. 41. El lector interesado en estos años deberá ver también *Los delfines de Santa Brígida* (PA., 141).

(25) Carta a *Clarín*. Salamanca, 31 de mayo de 1895.

En otra carta a Federico Urales es todavía más explícito: "Proseguí en mi empeño de racionalizar mi fe, y es claro, el dogma se deshizo en mi propia conciencia. Quiero decirle con esto que mi conversión religiosa (tal es su nombre) fue evolutiva y lenta, que habiendo sido un católico practicante y ferforoso, dejé de serlo poco a poco, en fuerza de intimar y racionalizar mi fe, en puro buscar bajo la letra católica el espíritu cristiano. Y un día de Carnaval (lo recuerdo bien), dejé de pronto de oir misa. Entonces me lancé en una carrera vertiginosa a través de la Filosofía. Aprendí alemán en Hegel, en el estupendo Hegel, que ha sido uno de los pensadores que más honda huella han dejado en mí. Hoy creo que el fondo de mi pensamiento es hegeliano. Luego me enamoré de Spencer; pero siempre interpretándolo hegelianamente. Y siempre volvía a mis preocupaciones y lecturas del problema religioso que es el que más me ha preocupado siempre. Bastante leí de Schopenhauer, que llegó a encantarme y que ha sido, con Hegel, de los que más honda huella ha dejado en mí" (26).

Y sobre estos testimonios el juicio del P. Caminero: "Unamuno cayó en la apostasía por un afán desordenado de racionalizar la fe" (27). Las influencias intelectuales que a ello concurrieron y la repercusión que alcanzaron en su pensamiento las analizaremos detenidamente más adelante.

La influencia de la Universidad fue casi nula en él durante estos años. El estudiante Unamuno no simpatizó con su catedrático de Metafísica, Ortí y Lara, ni tampoco con los textos del P. Ceferino González, que entonces eran el *vademécum* de los alumnos de Filosofía. En parte, por el ambiente de ramplonería y mediocridad en que se desenvolvía la Universidad, en parte también por sentirse absorto en la nostalgia de su tierra, el recuerdo de su pueblo y de los suyos, estos años de estudio apenas significan nada en otros aspectos. El joven Miguel lo único que ansiaba era terminar cuanto antes sus estudios.

(26) Carta a Federico Urales, s. f.
(27) UTI., 207.

3. El período "de las oposiciones"

Así llama Serrano Poncela a los años que Unamuno pasó en Bilbao al acabar en Madrid el doctorado en Filosofía y Letras. En 1884 vuelve éste a su ciudad natal, atraído por su madre y su novia; y efectivamente durante estos años su labor más importante es la preparación de oposiciones a cátedras de Instituto, de Lógica y Latín; de Facultad, de Metafísica. Alterna estas ocupaciones con estudios sobre el vascuence y la tarea de dar clases particulares; pero también durante el curso 90-91 ejerce como profesor agregado a la cátedra de Latín del Instituto Vizcaíno. Este último año gana las oposiciones de Lengua y Literatura griega, que le trasladarán a la Universidad de Salamanca; la repercusión de este simple hecho en la personalidad y en la obra de Unamuno ha de ser hondísima.

Por lo que respecta al significado personal e intelectual de estos años bilbaínos en la formación del autor vasco, hemos de tener en cuenta varios factores. El primero es el amor que profesaba a su tierra natal, ese paisaje vasco en el que "todo parece estar al alcance de la mano y hecho a la medida del hombre que lo habita y anima". Pues bien, este paisaje, la vuelta al nido, trae a Unamuno el recuerdo de su infancia y la remembranza de todas las cosas que le son anejas; por eso se da en él en estos años una vuelta religiosa a la fe de sus primeros tiempos, "crisis chateaubrianesca" —como la llama Sánchez Barbudo, que tan bien la analizó—, en la que la literatura y el amor a su madre tuvo más influencia que los motivos meramente religiosos. El sentido de esta "crisis de retroceso", a la que también alude González Caminero, es, más que otra cosa, una manifestación del deseo, siempre constante en don Miguel, de volver al origen, a lo primigenio y oriundo; a la madre, con todo el significado mítico y simbólico que ésta lleva consigo.

Sin embargo, no podía olvidar la experiencia espiritual y religiosa que durante los últimos años había adquirido en Madrid. Su intelectualismo se mantenía firme —y por eso su conversión fue más que nada literaria—, como podía verse a través de su actuación en la vida diaria. Esta se caracteriza —aparte la preparación de oposiciones y clases— por la publicación de los primeros trabajos literarios en la prensa local, alguna conferencia que otra, frecuentación en las tertulias literarias del Bilbao liberal de la época y la charla "sobre todo lo divino y humano", con sus amigos Enrique Areilza y Pedro Jiménez Ilundaín, ateos consumados. En esta época el ideal socialista está fuertemente grabado en Unamuno y, junto a alguna labor política de poca importancia, fundó con ellos el primer órgano socialista bilbaíno *La lucha de clases*.

Este dualismo —fe religiosa e ideal socialista— es ya un primer indicio de lo que ha de ser la contradicción de toda su vida.

II. LOS AÑOS DE MADUREZ
(1895-1924)

1. *Ambiente general*

El destino de Unamuno en Salamanca fermentó en una serie de experiencias que le llevaron a la confrontación de su pensamiento y a la maduración de su personalidad; estas experiencias fueron decisivas para el resto de su vida. Por ello es necesario realizar una detenida exposición de las influencias y los acontecimientos que en estos años tuvieron lugar en el alma tímida y orgullosa de este vasco pertinaz.

Miguel de Unamuno llega a Salamanca, después de ganada la cátedra de Lengua y Literatura griega en 1891, y desde entonces vivirá ya siempre, salvo raras excepciones, en esta ciudad. Es cierto que hacía frecuentes escapadas a los lugares más diversos de Castilla y Portugal, aunque solían ser muy cortas, y también que los años del destierro fueron bastantes, pero no lo es menos que la impronta de la vida salmantina y del paisaje castellano dejaron una huella indeleble sobre él.

La vida en Salamanca del reciente catedrático era rutinaria, casi monótona, si no estuviera animada por el constante fragor de su guerra espiritual, de su intimidad turbulenta y apasionada. Reparte su tiempo entre las clases en la Universidad, la vida de la ciudad y el hogar con su doble vertiente de trabajo y descanso.

Las clases en la Universidad eran cuidadosamente preparadas por don Miguel, que "oficiaba de director espiritual de los estudiantes", al decir de Hernán Benítez. Era muy puntual y cumplidor y, desde 1900, simultaneó la enseñanza de su cátedra con la de Filología comparada del Latín y Castellano (hoy Historia de la Lengua Española), hasta que, a la vuelta de su destierro, en 1930 decidió ocuparse de esta última. En 1902 fue nombrado Rector de la Universidad y hasta 1914, en que lo destituyó Bergamín, entonces ministro de Instrucción Pública, alternó la enseñanza con las ocupaciones de la rectoría. La historia de la rectoría de Unamuno se fue llenando de pasiones y polémicas políticas (1).

La participación de Unamuno en la vida de la ciudad tiene dos aspectos. El primero se refiere a su actuación pública, el contacto que mantenía con sus conciudadanos a través de las tertulias de café, de los pequeños conventículos de ciudad provinciana; parece que visitaba casi diariamente el Café Novelty de la Plaza Mayor y, de vez en cuando, con menor asiduidad, el Casino. En este ambiente se crearon animosidades y pasioncillas levantadas por las singularidades de don Miguel: envidias, rencores, admiraciones y odios solapados, que dieron pábulo a sus creaciones literarias, pero que principalmente provocaron en torno a él un clima de soledad y de incomprensión. Después veremos la influencia que este ambiente de ramplonería y vulgaridad tuvo sobre su afán de originalidad y notoriedad, acuciando su necesidad de sobresalir.

El segundo aspecto a que nos referíamos al hablar de la participación de Unamuno en la vida de Salamanca es tan importante como el anterior. Se trata, y con esto no hacemos sino comprobar la influencia del ambiente, la geografía y el paisaje en la persona de Unamuno; se trata —decía— de la repercusión que el aire de Salamanca y del paisaje castellano que rodea su recinto, alcanzaron en él. No sólo de la gracia arquitectónica de la ciudad a la que tiene constantes referencias en sus escritos y poesías (2), sino de la visión del páramo

---

(1) Véase la *Biografía Cronológica* de Unamuno al final.
(2) Salamanca, Salamanca,
      renaciente maravilla,
      académica palanca
      de mi visión de Castilla.   (C., 417.)

de Castilla (3), la llanura de la Armuña, en sus diarios paseos por la carretera de Zamora, "soñadero feliz de mi costumbre".

El contacto diario con el paisaje castellano da lugar a una transformación en la personalidad unamuniana. No se trata sólo de la visión del paisaje, debido a un aguzado "sentimiento de la naturaleza", sino de algo más profundo, puesto que para Unamuno el paisaje es un "recurso expresivo de la personalidad y una mostración de su drama íntimo". Esta compenetración con el paisaje de Castilla viene a través de una vía cordial o visual, pero también intelectual. Desde 1891, en que llega a Salamanca, don Miguel se entrega con delirio a la lectura de escritores castellanos, no sólo porque —como dice en una ocasión— él ha venido "a enseñar castellano a los hijos de Castilla", sino por una necesidad íntima de comprensión del espíritu de la tierra. Estas lecturas y meditaciones en las que entran desde los místicos hasta poetas y dramaturgos, culmina con un primer fruto intelectual, sus ensayos *En torno al casticismo*, que publica en 1895; en ellos trasparece el defensor de la individualidad, que siempre fue Unamuno. Pero dos años más tarde, en 1897, publica su primera novela, *Paz en la guerra*, en la que, sin rechazar esa individualidad productora de guerra, "siente —en el corazón de Pachico Zabalbide— hondo sentimiento de libertad radical en las entrañas, la libertad de enajenarse en el ambiente quedando por él poseído". Se advierte en todo el libro un cierto sentimiento panteístico, sobre todo cuando al final el protagonista, Pachico, "tendido en la cresta, descansando en el altar gigantesco, bajo el insondable azul infinito, el tiempo, engendrador de cuidados, parécele detenerse"... "Todo se le presenta entonces en plano inmenso, y tal fusión de términos y perspectivas del

---

(3)   Tú me levantas, tierra de Castilla,
en la rugosa palma de tu mano,
al cielo que te enciende y te refleja,
al cielo, tu amo.

....

¡Ara gigante, tierra castellana,
a ese tu aire soltaré mis cantos,
si te son dignos bajarán al mundo
desde lo alto!   (P., 25.)

espacio llévale poco a poco, en el silencio allí reinante, a un estado en el que se le funden los términos y perspectivas del tiempo" (4).

Este sentimiento panteístico es una reminiscencia de Vasconia, con toda la serie de vivencias y experiencias que lleva aneja en el alma de Unamuno y nos trasmite una prueba de como, a pesar del apego al paisaje castellano, en su personalidad se desarrolla todavía un dilema entre Castilla y Vasconia, con toda la carga cordial e intelectual que ambas implican. Sus dos primeros libros resultan, pues, un exponente del dualismo que se opera en el alma de don Miguel. Al señalarlo nosotros aquí no queremos sino mostrar cómo, aún aceptando su castellanismo, queda todavía latente en él un vasquismo que nunca morirá y al que dará expresión profundamente religiosa en los últimos años de su vida (5).

La influencia de Castilla en el alma de Unamuno fue paulatina. La primera toma de contacto con ella resultó hostil. Nos habla de su visita en 1899 a Alcalá de Henares para ensalzar en seguida su paisaje natal. Poco a poco, sin embargo, fue compenetrándose con la tierra castellana, con sus hombres y sus costumbres y de ella hizo una fuente eterna de inspiración para su obra y su vida entera. La historia de esta compenetración gradual, pero segura y profunda ha sido delineada con acierto por Luis Granjel (6). Señala también con acierto este autor el proceso psicológico, que con la vivencia del paisaje, se produce en el alma de Unamuno. Este proceso psicológico viene determinado por la introversión de su temperamento, el

---

(4) PG., 247.
(5) Hemos de aclarar, sin embargo, antes de continuar, que al identificar el primer libro de ensayos con el espíritu castellano y la primera novela con el vasco, no queremos sino indicar una relevancia, pues hay elementos en el primero que pertenecen al segundo, como, por ejemplo, la idea de la *intrahistoria,* y en el segundo que pertenecen al primero, como ocurre con el afán de buscar paz en medio de *la guerra.* Pero hemos de anotar también que esta contraposición señalada por nosotros no había sido señalada por los críticos pudiendo ser una idea fecunda en la comprensión de Unamuno, sobre todo si la unimos al sentimiento del paisaje tan arraigado en él.
(6) RU., 102-7.

aislamiento social en que vive, las lecturas a que se entrega y la desnudez del páramo castellano con el que se identifica. Todos estos hechos vienen a producir en él una atención cuidadosa y constante a su vida interior; es el interiorismo de que nos habla Granjel (7) y el mismo Unamuno en su ensayo *¡Adentro!,* al aconsejar a un supuesto interlocutor: "Avanza en las honduras de tu espíritu y descubrirás cada día nuevos horizontes, tierras vírgenes, ríos de inmaculada pureza, cielos antes no vistos, estrellas nuevas y nuevas constelaciones. Cuando la vida es honda es poema de ritmo continuo y ondulante. No encadenes tu fondo eterno que en el tiempo se desenvuelve, a fugitivos reflejos de él. Vive al día, en las olas del tiempo, pero asentado sobre tu roca viva, dentro del mar de la eternidad; al día en la eternidad es como debes vivir." Y al final: "En vez de decir, pues, ¡adelante!, o ¡arriba!, di: ¡adentro! Reconcéntrate para irradiar; deja llenarte para que reboses luego, conservando el manantial. Recógete en ti mismo para mejor darte a los demás entero e indiviso" (8).

Esta larga cita no está de sobra porque revela la posición espiritual de don Miguel en estos años y es prueba directa del "ensimismamiento" que le fue encerrando cada vez más dentro de una pasión —el anhelo de pervivir—, que alimentaría ya toda su vida con cuidado y delectación. Esta pasión le encerró, como veremos, en un círculo vicioso; de aquí el que él se llamase *heauto-moroumenos,* víctima de sí mismo (9).

2. La crisis de 1897

El adentramiento de Unamuno en su intimidad, producido en parte por su temperamento, en parte por el paisaje castellano, trajo como consecuencia una honda crisis de su espíritu, de la que saldría ya definitivamente forjada su personalidad. La exposición somera de esta crisis y del resultado de ella es la tarea de las líneas inmediatas, pues de su análisis detenido

(7)   Véase todo el capítulo XI del citado libro.
(8)   E., I, 239.
(9)   Carta de *Clarín.* Salamanca, 9 de mayo de 1900.

y profundo en la vida de don Miguel no nos ocuparemos sino en la parte central de esta obra.

La crisis a que me refiero empieza a prepararse en 1895 con el acrecentamiento de las preocupaciones religiosas de Unamuno y, según las últimas investigaciones de la crítica (10), tiene su culminación en 1897, en los días anteriores al 23 de marzo de este año, en un episodio del que se nos ofrecen numerosas pruebas a través de su epistolario, así como en sus trabajos literarios (11).

"Yo tengo también mis tendencias místicas", le decía a *Clarín* en carta del 31 de mayo. Sus preocupaciones siguieron aumentando hasta culminar en una "crisis", como una descarga fulminante que le hirió una hermosa noche. Ya hacía horas que no podía dormir —nos dice Corominas en su artículo— y se daba vueltas en su lecho matrimonial, donde su esposa le oía...; de súbito le sobrevino un llanto inconsolable...; entonces la pobre mujer, vencido el miedo por la piedad, lo abrazó y acariciándole le decía: "¿Qué tienes, hijo mío?" Al día siguiente Unamuno lo abandonaba todo e iba a recluirse en el convento de frailes dominicos de Salamanca, donde estuvo tres días. Y otra versión la tenemos de su propia boca en comunicación a Jiménez Ilundáin: "Me cogió la crisis de un modo violento y repentino, si bien hoy veo en mis escritos el desarrollo interior de ella. Lo que me sorprendió fue su explosión. Entonces me refugié en la niñez de mi alma, y comprendí la vida recogida, cuando al verme llorar se le escapó a mi mujer esta exclamación, viniendo a mí: ¡Hijo mío! Me refugié en prácticas que evocaran los días de mi infancia, algo melan-

---

(10) A. ZUBIZARRETA: "La inserción de Unamuno en el Cristianismo". *Cuadernos Hispanoamericanos*, n. 106 (1958), p. 7-35.
(11) La crisis tiene su exposición en la carta a *Clarín* del 9-V-1900, en la carta a Juan Arzadún del 30-X-1900, en la carta a Ganivet del 20-X-1898 y en las cartas a Jiménez Ilundáin del 30-I, 25-III y 23-XII-1898. Ha sido relatada con especial detenimiento por P. Corominas en su artículo "La tràgica fi de Migue de Unamuno". *Revista de Catalunya*. Barcelona, II, 1938 (n. 83), p. 155-170. La expresión literaria de la crisis se halla en su relato "Una visita al viejo poeta", en "Nicodemo el fariseo", primera de unas *Meditaciones evangélicas* que no llegó a terminar, y en su drama "La Esfinge".

cólica pero serena. Y hoy me encuentro en gran parte desorientado, pero cristiano y pidiendo a Dios fuerza y luz para
sentir que el consuelo es verdad" (12).

En esta confesión, así como en la anterior, lo más característico es lo repentino, lo súbito e imprevisto de la crisis.
Indice de que toda su carga venía preparándose desde hacía
tiempo de espaldas a los ojos conscientes de Unamuno. Sin
embargo, vemos que en la fecha de la carta (1898) ya veía con
claridad "el desarrollo interior de ella". Por eso, es más interesante la exposición que hace a *Clarín* en *tercera persona*,
cuando en 1900 debía tener una idea totalmente clara de
ella (13). Dice: "Y sufría mucho. Después de una crisis en
que lloró más de una vez y hubiera sido un infierno su vida
a no tener mujer e hijos, creyó en realidad haber vuelto a la
fe de su infancia, y aunque sin creer en realidad empezó a
practicar, hundiéndose en las devociones más rutinarias, para
sugerirse su propia infancia. Fue una fiesta en su casa, vio
gozar a su madre (que es el único freno que le contiene de
escribir muchas cosas que piensa), su hermana recién salida
del convento por dolencia fue a vivir con él hasta que, repues-
ta, tornó a profesar ya. Pero se percató de que aquéllo *era
falso,* y volvió a encontrarse desorientado, preso otra vez de
la *sed de gloria, del ansia de sobrevivir en la historia."*

Aquí ya se ve claramente cómo él mismo reconocía el papel
que el *hambre de notoriedad* había jugado en su crisis; como
junto a "las tendencias místicas" pugnaba su "espíritu inquie-
to, sediento de atención, ávido de que se le oiga". La lucha
entre los dos *yos* de Unamuno ha sido hábilmente descrita por
P. Corominas en su artículo y analizada con todo detalle y
minucia por Sánchez Barbudo en sus *Estudios sobre Unamuno
y Machado.* Pero no es necesario recurrir a estos autores para
verla plasmada con claridad en la carta a *Clarín,* donde vuelve a decir: "Quisiera que no se hubiese mezclado en ella (la
carta) mi condenada vanidad, pero es imposible". Y también:
"Creo que con algún esfuerzo llegaría a ser popular y lo an-

---

(12)   Carta a P. Jiménez Ilundaín. Salamanca, 3-I-1898.
(13)   Carta a *Clarín.* Salamanca, 9-V-1900.

sío". Aún más claro y elocuente es este otro párrafo: "¡Ah, qué triste es después de una niñez y juventud de fe sencilla haberla perdido en vida ultraterrena, y buscar en nombre, fama y vanagloria un miserable remedo de ella! Cuando Unamuno dice y repite que *hay que vivir para la eternidad y para la historia es porque sufre de querer vivir en la historia,* y aun cuando su parte mejor le muestra lo vano de ello, su parte peor le tira. Aquí lo de San Pablo: 'No hago el bien que quiero, sino el mal que no quiero hago.' Pero sufre también de que le atribuyan a ese sólo móvil, el ansia de notoriedad y fama, cambios y actitudes que le arrancan del corazón. Del corazón le brotó su *Nicodemo,* cometió la torpeza de llevar a público confesiones íntimas, y se lo atribuyeron a motivos inexactos".

* * *

Las pruebas son claras. Los dos factores más radicales en esta crisis de la personalidad de Unamuno son el ansia de fama y el ansia de inmortalidad, un yo externo, público y teatral y otro yo interno, íntimo y privado. Ambos son de total importancia y no cabe minusvalorar el uno en beneficio del otro como han hecho algunos críticos. A los ojos de don Miguel los dos eran igualmente fundamentales y no cabe duda de su sinceridad. Sánchez Barbudo piensa que toda la obra unamuniana es una continua comedia, un fingimiento del dualismo entre el prestigio y el alma, entre la gloria mundana y la eterna, pues Unamuno está convencido de la inexistencia de una vida ultraterrena; este crítico afirma que el autor vasco era ateo —así trata de demostrarlo en su libro—, pero que cultivaba su lucha y agonía con amorosa solicitud para mejor hacerse ganoso de fama y singularidad. El convencimiento de que no existe una vida ultraterrena le indujo —después de la crisis— a "hacer literatura de su dolor" y a crearse una leyenda en torno a sí mismo que le convirtiese en un interesante personaje de novela, original y atractivo. Esta hipocresía a que le llevó su erostratismo y afán de exhibición produjo en él recaídas y un peculiar remordimiento que se manifestaba en el asco que se cobró a sí mismo y dio lugar a aquellas lamentaciones que tan frecuentemente encontramos en sus escritos, principalmente en la época del destierro.

Esta es la opinión de Sánchez Barbudo. Ante ella, copiosamente documentada por cierto, no podemos hacer otra cosa que reconocer la posibilidad de demostrar una actitud semejante en Unamuno, mediante una cuidadosa y estratégica selección de textos. Pero no por ello se nos negará la posibilidad de ver también en él un católico descarriado, como lo hacen, Julián Marías, Alain Guy y Hernán Benítez. Ultimamente Armando Zubizarreta desvaloriza totalmente los desalientos de Unamuno negando que en ellos existiese "un prurito fundamental de fama. Unamuno —nos dice (14)— necesitaba prestigio para hacerse oir y poder cumplir su destino de escritor, para poder comunicar sus experiencias. A la base de su literatura existía un mensaje difícil de comunicar, tanto por el contenido mismo de él como por la época en que le tocó vivir... Y el grito en su siglo, era la única posibilidad de hacerse oír. Todo lo que atentaba contra su prestigio de escritor, atentaba contra su mensaje. Y atentaba, claro está, contra el cumplimiento de su misión y la realización de su persona". Y aún añade más adelante que "las confesiones que Unamuno hizo en momentos de desaliento, llenas de violenta autocrítica, deben ser estudiadas con cuidadoso criterio. Ellas no son sino la prueba de su constante autovigilancia en el cumplimiento de su misión".

Es evidente que también resulta excesiva esta interpretación de Zubizarreta, que descalifica por completo la contraposición de los dos *yos* unamunianos, hasta el punto de negarla sistemáticamente, hablando de autovigilancia, pasajeros desalientos y resentimientos en la amistad con Corominas, cuando la verdad es que esa contraposición, ese interno dualismo se halla latente de una forma constante a lo largo de toda su obra, constituyendo el nudo gordiano de ella. Sus *pa-*

_____

(14) A. ZUBIZARRETA: Miguel de Unamuno y Pedro Corominas. (Una interpretación de la crisis de 1897.) *Cuadernos de la Cátedra Miguel de Unamuno*, IX, 1959.

sajeros desalientos mal pueden ser considerados como tales cuando se hallan constantes en sus cartas y ensayos desde 1897 hasta sus años de destierro en París. El resentimiento de Corominas respecto de Unamuno explica en todo caso una exposición desvirtuada de la crisis de 1897 por parte de éste, pero no anula las cartas a Arzadún, a *Clarín,* a Jiménez Ilundaín y menos todavía el continuo sentido contradictorio y agónico de toda su obra, desde los textos citados por Sánchez Barbudo hasta sus grandes obras, *Del Sentimiento trágico de la vida* y *La agonía del Cristianismo.* El que Unamuno trate de justificarse ante Corominas y desvirtúe su desesperación y sus desalientos hasta llamar a la crisis de 1897 "una crisis de la que me avergüenzo" (15) no hace más que corroborar aquella vanidad de que él mismo nos habla y con la que trata de no defraudar a nadie y ofrecer siempre a su interlocutor el aspecto que más podía favorecerle, máxime si se trataba de alguien que le admiraba profundamente como era el caso de Corominas.

Es, por tanto, totalmente injustificada una interpretación que desvalorice cualquiera de los aspectos fundamentales de la personalidad de don Miguel. Tanto si negamos su ansia de inmortalidad como su afán de notoriedad, hacemos de él un hipócrita y anulamos de raíz todo su valor intelectual y personal. Esto es lo que hace Sánchez Barbudo, que le califica de hipócrita e insincero. En cambio Zubizarreta trata de justificar su afán de gloria y fama, como la necesidad de ganarse una plataforma para lanzar su mensaje de escritor, y descalifica sus descorazonamientos ante la falta de éxito como estados de ánimo *pasajeros* en los que ni el mismo Unamuno creía. Si esto fuera así, el señor Zubizarreta haría al autor vasco indirectamente el reproche de insinceridad que él rechaza, pues entonces habría que aceptar que la carta a *Clarín* del 9 de mayo de 1900, toda ella desaliento, era una mentira, siendo una mentira también su propósito enunciado al comienzo de ella —"y como quiero ser *absolutamente* sincero, me va usted a permitir un artificio, infantil acaso, y es que hable de mí

_____

(15) Carta a Pedro Corominas. Salamanca, 11-I-1901.

mismo en tercera persona"— y también mentira la afirmación
del día siguiente cuando corrobora su actitud al escribir la
carta: "Hiciste bien, tómela como la tome, fuiste sincero, va-
ciaste tu alma" y aún afirma después que toda ella ha sido
"dictada por mi sed de sinceridad (ésta quisiera que pudiese
ser lo que no puede ser, absoluta)" (16). Claro que el señor
Zubizarreta trata de justificar esto con las agudas elucubraciones que Unamuno comunica a Corominas (17), aunque sus
razonamientos no logran convencernos. Pero rechazar de forma minuciosa y documental todas las afirmaciones de estos
críticos supondría salirnos de la tarea propuesta, que consiste
fundamentalmente en realizar una comprensión psicológica de
Unamuno, reintegrando los datos existentes y dándoles el sentido adecuado dentro de la auténtica personalidad del vasco.

Una crítica seria y que no atente contra el valor moral e
intelectual de Unamuno debe partir del reconocimiento de su
sinceridad radical; todo lo que no sea esto, minusvalora tanto
su personalidad que hace superficial toda ocupación con él o
su obra. Partiendo, por tanto, de esta base de sinceridad vamos
a ocuparnos en la segunda parte del verdadero significado de
la crisis y de la huella de ésta en toda su evolución posterior.

3. *La mujer y el hogar*

Ha sido necesario dedicar estas largas reflexiones a la crisis de 1897, porque de ella saldría forjado el núcleo de la personalidad unamuniana. Sin embargo, no hemos terminado con
ello de señalar los aspectos más importantes del período de
madurez. Nos queda hablar de la influencia de la mujer y el
hogar en su vida y en su obra.

La mujer, en la experiencia íntima de Unamuno, quedó re-
ducida a su esposa, doña Concha Lizárraga y Ecénarro, que
pasará a la historia como la única mujer de su vida (18). A ella

(16)   Carta a *Clarín*. Salamanca, 10-V-1900.
(17)   Carta a Pedro Corominas. Salamanca, 17-V-1900.
(18)   Los críticos se han preguntado por la identidad de la mujer
que protagoniza su libro de poesías *Teresa*. ¿Quién es esta Teresa cantada amorosamente en el libro? La opinión más certera es seguramen-

acudió en los momentos más críticos de su existencia y ella supo consolarle, animarle y darle fuerzas en todo momento, cosas de las que Unamuno, tanto por su carácter infantil como por su personalidad agónica andaba muy necesitado. La conoció desde pequeño, cuando ambos eran niños, pues pertenecía a una familia amiga de la suya. "Fueron desde el principio —dice González Ruano (19)— novios tácitos en un presentimiento inocente." El mismo don Miguel relata su noviazgo de forma sencilla y encantadora: "Nos conocimos, de niños casi, en Bilbao; a los doce años volvió ella a su pueblo, Guernica, y allí iba yo siempre que podía a pasear con ella a la sombra del viejo roble, el árbol simbólico. Y allí me casé. A mi mujer la alegría del corazón le rebosa por los ojos, y ante ella tengo vergüenza de estar triste" (20). Se casó con ella a fines de enero de 1891 y el mismo año ganó la cátedra de Literatura Griega, que le obligó a trasladarse a Salamanca como ya hemos dicho. De la fecundidad de esta unión son signo elocuente los ocho hijos del matrimonio; pero las verdaderas relaciones íntimas de Unamuno con su esposa nos son desconocidas por no haberse todavía desvelado su epistolario. Sin embargo, su actitud siempre fiel, su monogamia y castidad inquebrantables, las referencias abundantísimas en sus obras al amor, al matrimonio y a la mujer nos ofrecen los datos necesarios para captar el sentido verdadero de esta relación.

Unamuno veía a la mujer exclusivamente bajo la forma de madre. En este sentido se mostraba decididamente antifeminista. Se manifiesta de forma clarísima su actitud respecto al papel social de la mujer en su artículo *A una aspirante a escritora* (21). "La civilización es —dice— con todo lo que tiene de bueno y todo lo que tiene de malo, predominantemente masculina. La influencia femenina se ejerce, sin duda, en ella, pero se ejerce de una manera en general funesta para actuar sobre un conjunto de tipo masculino, con todo lo malo de la

te la de Hernán Benítez, que asegura (DRU., 100-104) tratarse de un reflejo literario de su esposa, cuando aún eran novios.

(19)   González Ruano. Ob. cit.. 51.
(20)   Carta a Juan Maragall. Salamanca, 15-II-1907.
(21)   E., II, 695-702.

masculinidad. Lo femenino tiene su campo de acción en la esfera privada y doméstica —en la domesticidad—, pero no en la civilización que es la civilidad, la vida civil. Esta vida civil tiene orígenes militares y una constitución política, y la milicia es masculina y masculina es la política. La mujer no ha sido ni guerrera ni ciudadana". Y termina con una aseveración rotunda: "La mujer es, ante todo y sobre todo, madre. El instinto de la maternidad es en ella mucho más fuerte que el de la sexualidad... Quiere al amante o al marido con amor maternal y su amor crece cuando le siente débil, cuando siente que es preciso defenderle, por muy fuerte que en otros respectos aparezca. Se dice que las mujeres se enamoran de los hombres fuertes, pero creo adivinar que se enamoran de los hombres fuertes por alguna debilidad que sólo ante ella, ante la amante, dejan traslucir".

Los textos podrían prolongarse, pues este tema de la maternidad es de los más tratados dentro de la fecunda literatura unamuniana. Un ejemplo de esto lo tenemos en las novelas, donde los hombres ocupan un lugar pobre y secundario para dar relieve a las figuras femeninas, que adquieren en ocasiones verdadera fuerza dramática. *El marqués de Lumbría, Dos madres, La tía Tula,* nos muestran el instinto de maternidad femenino con una violencia tal, con una fuerza tan avasalladora, que toma el carácter de un fenómeno cósmico que trasciende los límites del individuo, afectando radicalmente al mundo en torno hasta trastocarlo por completo.

Aunque la importancia de la madre y la maternidad en Unamuno ha sido señalada en numerosas ocasiones no se han deslindado con exactitud dos facetas de singular relieve dentro de ella: la primera es el instinto de reproducción, el hambre de maternidad, por el cual la mujer se convierte en un ser antropofágico, lleno de egoísmo reproductor, devoradora del hombre que la fecunda; la segunda es el instinto de regresión que la madre despierta en nosotros, relacionado con el deseo de volver a la infancia, al estado fetal, a la niñez eterna, al origen, al principio de la vida —y quizá con esto también al fin, al último destino de ella.

Nos queda, por último, hacer una referencia a la significación del hogar en la vida de Unamuno, que, como es natural, queda íntimamente ligado a su actitud ante la mujer. En lo que se refiere al instinto reproductor el hogar aparece como un canalizador de la energía sexual y, junto con ello, de la nerviosa y espiritual. "Es sensible la enorme cantidad de energía espiritual que se derrocha y desperdicia en perseguir la satisfacción del deseo carnal. La mayor parte de las ventajas del matrimonio, y son muchas las que tiene, es que, regularizando el apetito carnal, le quita al hombre pruritos de desasosiego, dejándole tiempo y energía para más altas y nobles empresas" (22).

Pero, en un aspecto más profundo, el hogar tiene en don Miguel una significación espiritual que llena de contenido su vida. Aparece, entonces, como un mundo intemporal, apartado de la historia, que sirve de reposo y refugio en las peores horas de la vida. Allí el tiempo no pasa, y la paz de la mujer, el gran caudal de ternura que toda madre lleva consigo, nos pone en contacto con el mundo eterno, donde no existen los dolores ni los afanes de la vida. Este sentido del hogar aparece íntimamente ligado a un instinto regresivo muy fuerte en Unamuno, que se manifiesta en el deseo de volver a un mundo en el que no exista el tiempo ni las contradicciones de éste en que vivimos, una vuelta al origen, a un paraíso perdido, que todos anhelamos y todos buscamos y que él buscó principalmente de modo inconsciente y a través de una atracción por la madre, por la mujer-madre, la maternidad en general. Así dice: "En mi vida de lucha y de pelea, en mi vida de beduino del espíritu, tengo plantada en medio del desierto mi tienda de campaña. Y allí me recojo y allí me retemplo. Y allí me restaura la mirada de mi mujer, que me trae brisas de mi infancia" (23).

Sobre este tema volveremos aún; baste por ahora para dar una idea más o menos completa del núcleo de influencias y preocupaciones en los años de madurez de Unamuno.

(22)   E., II, 460.
(23)   Carta a Juan Maragall. Salamanca, 15-II-1907.

III. LA EXPERIENCIA DE LA VEJEZ
(1924-1936)

1. *El destierro y la estancia en Fuerteventura*

El año 1924 el Directorio militar de Primo de Rivera, que había dado un golpe de Estado el 13 de septiembre del año anterior, desterró a Unamuno a la isla de Fuerteventura por sus campañas demagógicas contra la Dictadura. Un discurso en Valladolid y otro en la Sociedad *El Sitio,* de Bilbao, más la publicación de una carta suya, fueron los motivos inmediatos que dieron lugar a la orden de confinamiento, el 24 de febrero de 1924.

Este simple hecho habría de producir en la intimidad de Unamuno un hondo proceso de revolución espiritual que le llevó a resucitar y encarar una problemática dormida dentro de él hacía ya muchos años. Nos lo dice él mismo en su soneto:

Al frisar los sesenta, mi otro sino,
el que dejé al dejar mi natal villa,
brota del fondo del ensueño y brilla
un nuevo porvenir en mi camino.
Vuelve el que pudo ser y el que el destino
sofocó en una cátedra en Castilla,
me llega por la mar hasta la orilla
trayendo nueva roca y nuevo lino.

(FP, 89)

Don Miguel llega a Fuerteventura el 10 de marzo del mismo año y allí permanece hasta el 9 de julio, en que embarca para Francia. Vive hasta 1926 en París, donde una vida en la expectativa y en la soledad le hace pasar por su "experiencia íntima más trágica". La soledad fría y artificial de la gran ciudad le trae la añoranza de la acogedora soledad de Castilla, de la compañía maternal de la esposa en el hogar, y esto le impulsa a acercarse más a la patria, a la grande, a España, pero aún más, a la chica, al país Vasco. Unamuno se traslada, pues, a Hendaya, "tierra vasca —francesa o española, es igual—, a la que he vuelto de largo asiento, después de treinta y cuatro años que salí de ella" (1).

En 1930, con la caída de la Dictadura, Unamuno vuelve a España. El contacto sucesivo con estos países y el paso por las respectivas experiencias que ocasionaron le llevaron, como indica en el comentario al anterior soneto, a enfrentar "el problema de mis 'yos ex-futuros', los que pude haber sido y dejé de ser, las posibilidades que he ido dejando en el camino de mi vida" (2).

Los meses de destierro en Fuerteventura le desgajaron de su contorno geográfico y social; la soledad de la isla y la meditación frente al mar hicieron posible una nueva experiencia religiosa que le enfrentó consigo mismo, desvelando su verdadero conflicto, el que había ocultado durante tanto tiempo ante sus ojos y ante los demás: la lucha entre el yo superficial, externo y público, y el yo profundo, interno e íntimo, entre una religiosidad mística y un insaciable hambre de notoriedad.

La visión del mar en Fuerteventura le hizo vivir de modo nuevo y profundo esa religiosidad mística de que hemos hablado, que ya tuvo algunos brotes ante la visión del páramo castellano, pero que ocultó siempre para dar manifestación al Unamuno de la agonía y de la lucha, de la duda y de la angustia, de la continua guerra entre la razón y la fe, ese Unamuno del grito y el gesto, del que hizo un estandarte y una bandera y en el que apoyó su fama de hombre único y singular. En el libro *De Fuerteventura a París,* "diario íntimo de la vida íntima de mi destierro", nos dice él mismo que muchos

(1)   O. C., 1004.
(2)   FP., 90.

de los sonetos allí publicados "son hijos de experiencia religiosa —alguien diría que mística—" (3), y también: "Es en Fuerteventura donde he llegado a conocer la mar, donde he llegado
a una comunión mística con ella, donde he sorbido su alma y
su doctrina" (4); más tarde, en París, recordando estas experiencias, dirá: "lo que más echo de menos aquí en París es la
visión de la mar. De la mar que me ha enseñado otra cara de
Dios y otra cara de España" (5). En la introducción a *La agonía del Cristianismo*, reconoce que en la isla pudo "enriquecer
su íntima experiencia religiosa y hasta mística" (6) y en el
prólogo al *Romancero del destierro* dice de sus sonetos escritos
en Fuerteventura "que se podrían llamar religiosos y aún místicos" (7). Las referencias, como vemos, son innumerables y
del sentido místico de esta experiencia que surge ante el descubrimiento de la mar nos hablan esas

Horas dormidas de la mar serena;
se cierne el tiempo en aras de la brisa;
cuaja en el cielo azul una sonrisa
y todo el de eternidad se llena.
Abre el sol su más íntima vena,
corre su sangre sin retén ni risa.
Naturaleza oficia en muda misa,
que es de la paz sin hombres santa cena.
Todo es visión, contemplativo oficio;
nada en el cielo ni en la mar padece;
es sin pena ni goce el sacrificio;
de ensueño el universo se estremece,
y de la pura ida sobre el quicio
en el alma de Dios mi alma perece.

A cuyo soneto, por si aún cupiese alguna duda, Unamuno
pone el siguiente comentario: "Este soneto refleja un momen-

(3) FP., 9.
(4) Ibid., 60.
(5) Ibid., 118.
(6) E., I, 944.
(7) RD., 6.

(8) FP., 100-101.
(9) DD., 12.
(10) FP., 17.

to de inmersión en la vida más entrañada, más íntima, en medio de la agitación histórica" (8).

Nos interesa ahora, sobre todo, destacar cómo este misticismo —de indudable matiz panteísta— le aguzó la mirada para descubrir su propio conflicto, aunque su desvelamiento, y desenlace no se realizaría hasta los últimos meses del destierro.

La rebelión de Unamuno contra la Dictadura fue motivada, en una gran medida, por su afán de originalidad, el deseo de mantener y aumentar su prestigio, ese ideal quijotesco que fue la norma casi constante de su actuación pública. Lo prueba el que, aun habiendo conocido la orden de destierro con suficiente antelación, no quiso refugiarse en Portugal. Aceptó el destierro puede decirse que complacido y con un sentimiento de orgullo por su actitud de honradez y valentía.

Tenía trazado su plan, nos confiesa él mismo, "consistente en no huir, no preguntar las razones o sinrazones de la medida tomada contra mí y no pagar gasto alguno. Y así lo cumplí" (9). En los sonetos de Fuerteventura se manifiesta esta actitud, cuando ante la voz de los que pedían la remisión de la pena, él exclama:

> Los que clamáis "¡indulto!" id a la porra,
> que a vuestra triste España no me amoldo;
> arde del Santo Oficio aún el rescoldo
> y de leña la envidia lo atiborra (10).

2. Los años de París y Hendaya

Los dos yos antinómicos de Unamuno se mantienen, pues, enhiestos, uno frente al otro: el Unamuno de la paz y el de la guerra frente a frente. La experiencia de Fuerteventura hace aún más patente este dualismo. Don Miguel empieza a ver claro dentro de sí y su tragedia se va haciendo consciente.

---

(8)   FP., 100-101.
(9)   DD., 12.
(10)   FP., 17.

Pero no logrará enfrentarse del todo consigo mismo hasta que la estancia en París le depare esa soledad social de la que exclama: "no pienso pasar por experiencia íntima más trágica" (11). La vida que hace en la gran ciudad nos la cuenta él mismo. Vive en una pensión de la rue Perouge, cerca del Arco de la Estrella, donde recibe visitas numerosas de políticos, periodistas y algunas personalidades francesas. "Paso —nos dice— la mayor parte de mis mañanas, sólo, en esta jaula cerca de la plaza de los Estados Unidos. Después del almuerzo me voy a la Rotonda de Montparnasse, esquina del bulevar Raspail, donde tenemos una pequeña reunión de españoles, jóvenes estudiantes la mayoría, y comentamos las raras noticias que nos llegan de España, de la nuestra y de la de los otros, y recomenzamos cada día a repetir las mismas cosas, levantando, como aquí se dice, castillos en España." Esta clase de vida en París, aparte del angustioso "vivir en la expectativa, imaginando cada día lo que puede ocurrir al día siguiente" (12), supone un desplazamiento de su ámbito social que "lo arranca —como dice Granjel— del ensimismamiento, rompe el círculo que en torno a él forjó su pasión" (13). Unamuno se sentía allí —sin el cotarro de los amigos de Salamanca, sin el consuelo de "las piedras de oro" de aquella ciudad y sin el íntimo "reposadero" que suponía la visión de Gredos o la "clara carretera de Zamora"— se sentía, digo, solo y desesperado. El grito y la gesticulación en que hasta entonces había consistido su vida carecía de eco alguno. Sólo los jóvenes estudiantes de la Rotonda le admitían entre ellos como un exilado más, aunque algo curioso y espectacular.

Los intelectuales franceses hicieron poco caso de él (14). Al principio —nos dice Matilde Pomés (15)— fue un objeto de

---

(11)   CHN., 9.
(12)   Ibid., 60-61.
(13)   RU., 320.
(14)   FRANCISCO MADRID: *Los desterrados de la Dictadura.* Madrid, 1930. CARLOS ESPLÁ: *Unamuno, Blasco Ibáñez y Sánchez Guerra en París.* Buenos Aires, 1945.
(15)   MATILDE POMÉS: "Unamuno et Valery". *Cuadernos de la Cátedra de Miguel de Unamuno,* p. 57-70.

curiosidad, pero poco a poco el vacío se hizo en torno a él y pronto no quedaría a su alrededor más que el mundo abigarrado, disparatado, fluctuante y decadente de los cafés de Montparnasse. La angustia le fue así penetrando hasta aquella dramática "noche del sábado al domingo de Pentecostés, 31 de mayo de 1925", en que escribe el célebre poema *¡Vendrá de noche!*

Vendrá de noche, cuando todo duerma;
vendrá de noche, cuando el alma enferma
se emboce en vida;
vendrá de noche, con su paso quedo;
vendrá de noche, y posará su dedo
sobre la herida.   (RD, 15)

Esta situación de angustia le lleva al enfrentamiento con su drama personal, lo que él llamaría "problema de la personalidad", consistente en saber *si uno es lo que es* o, más claro, si uno es lo que parece; es decir, si estamos fingiendo o no nuestra personalidad, si el yo íntimo, intrahistórico, que llevamos dentro, coincide con el yo externo, histórico, que mostramos a los demás. Este problema que, aún siendo suyo de toda la vida, se lo había ocultado a sí mismo y a los demás con gran habilidad, surgió entonces con una fuerza dramática. La congojosa soledad de París le llevó a vivir los días seguramente más trágicos de su vida. En esta situación empezó a escribir su relato *Cómo se hace una novela.* "No puedo recordar sin un escalofrío de congoja aquellas infernales mañanas de mi soledad en París..., del verano de 1925, cuando en mi cuartito de la pensión del número 2 de la rue de la Perouge me consumía devorándome al escribir el relato que titulé *Cómo se hace una novela*" (16). Aquí, efectivamente, Unamuno expone en forma novelada, el conflicto que entonces le consumía. El mismo la llama "novela autobiográfica" (17) y en las primeras líneas del relato nos dice: "Héteme aquí ante estas blancas páginas, tratando de derramar mi vida a fin de continuar viviendo."

---

(16)   CHN., 9.
(17)   N., 20.

Todo lo que hay de autobiográfico en estas "agoreras cuartillas" —como él las llama—, así como el drama personal que encierran y su significado, ha sido minuciosamente desvelado y analizado por Sánchez Barbudo, que ha hecho la mejor investigación de estos años de la vida de Unamuno (18). Por ello vamos a limitarnos a hacer una escueta exposición del relato y ponerlo en parangón con el drama unamuniano que revela.

El libro lo empezó en París durante el verano de 1925 y, traducido al francés, fue publicado en *Mercure de France* (19). Está compuesto de elementos diversos en el que intervienen políticos españoles, anécdotas de su vida de entonces y las lecturas realizadas por él durante esos años. Pero, por encima de todo ello, dando continuidad a la acción está el relato de la tragedia del protagonista —U. Jugo de la Raza—, hombre que, errando por las orillas del Sena, tropieza con una novela. Empieza a leerla "y he aquí que da con un pasaje, pasaje eterno, en que lee estas palabras proféticas: 'Cuando el lector llegue al final de esta dolorosa historia se morirá conmigo' " (20). La angustia se apodera de él y abandonando la lectura promete no volver a reanudarla, "pero el pobre Jugo de la Raza no podía vivir sin el libro, sin aquel libro; su vida, su existencia íntima, su realidad, su verdadera realidad estaba ya definitiva e irrevocablemente unida a la del personaje de la novela. Si continuaba leyéndolo, viviéndolo, corría riesgo de morirse cuando se muriese el personaje novelesco, pero si no lo leía ya, si no vivía ya más el libro, ¿viviría?" (21). En este conflicto íntimo Unamuno hace pasar a su personaje por las más variadas vicisitudes, de postración y desaliento algunas, al recordar la profecía de muerte y otras de animosa, apasionada entrega a la lectura, a su verdadera vida. En una de las primeras, Jugo de la Raza destruye el ejemplar del libro que lee y emprende un viaje, pero vuelve a París, trayendo nuevamente el "libro fatídico". Unamuno se introduce enton-

---

(18) A. Sánchez Barbudo: *El misterio de la personalidad en Unamuno. Cómo se hace una novela,* en EUM., 83-140.
(19) *Mercure de France,* n. 15, mai 1926, tomo 188, p. 13-29.
(20) CHN., 74.
(21) Ibid., 75-76.

ces en la trama de la obra y le plantea a su personaje el dilema: "o acabar de leer la novela, que se había convertido en su vida, y morir acabándola, o renunciar a leerla y vivir, vivir, por consiguiente morirse también. Una u otra muerte, en la historia o fuera de la historia" (22). El personaje no sabe decidirse, pero el autor tampoco y no se atreve a tomar ninguna iniciativa. Piensa hacerle "perder la voluntad o en todo caso el apetito de vivir, de suerte que olvidará el libro, la novela, su propia vida y se olvidara de sí mismo" o cosa parecida, para lo cual tendría que hacerle sufrir "un ataque de hemiplejía o cualquier otro accidente de igual género" (23). Unamuno no se decide por una cosa ni por otra, dejando el relato sin desenlace, como él mismo afirma: "Esta novela y por lo demás todas las que se hacen y que no se contenta uno con contarlas, en rigor, no acaban. Lo acabado, lo perfecto, es la muerte, y la vida no puede morirse" (24).

En este drama, como es fácil adivinar, el autor vasco no hace otra cosa que explayar simbólicamente su propio conflicto entre el Unamuno personaje de novela, el histórico, deseoso de fama y renombre y el Unamuno real, el intrahistórico, movido por un sincero anhelo de salvación eterna y perfección espiritual. Como él no había resuelto su propio conflicto tampoco pudo resolver el del personaje creado sobre su patrón. Para llegar a ello tuvo que sufrir la influencia de un nuevo paisaje: el del país vasco, gozado y sentido desde Hendaya, donde se trasladó a fines de agosto de 1925, permaneciendo allí hasta el fin del destierro en 1930.

La vida que realiza en Hendaya se reparte entre su trabajo de escritor, su actividad política y sus diarias tertulias en el Grand Café, pero la significación espiritual que este paisaje adquiere en su evolución espiritual es más compleja y difícil de analizar. Ha sido vista con agudeza por Luis Granjel en el libro citado, pero como podemos hacernos una idea de ella es a través de la continuación que Unamuno hace del

---

(22)   Ibid., 106.
(23)   Ibid., 115-6.
(24)   Ibid., 119.

relato *Cómo se hace una novela.* Aquí encontramos la clave de estos años de su vida. Recordamos que había dejado la novela incompleta, pero "ahora —dice en 1927— quiero acabarla, quiero sacar a mi Jugo de la Raza de la tremenda pesadilla de la lectura del libro fatídico, quiero llegar al fin de su novela... Y creo poder llegar a él, creo poder acabar de hacer la novela, gracias a mis veintidós meses de Hendaya" (25). La solución que da al dilema en que está encerrada la vida de Jugo de la Raza vemos que —él mismo lo reconoce— está en función de la experiencia que le depara el nuevo paisaje. Se trata de una solución que ya había sugerido anteriormente, sin llevarla a la práctica: "Mi Jugo se alejaría al cabo del libro. En sus correrías por los mundos de Dios para escapar a la fatídica lectura, iría a dar a su tierra natal, a la de su niñez, y en ella se encontraría con su niñez eterna, con aquella edad en que aún no sabía leer, en que todavía no era hombre de libro" (26).

Es curioso señalar cómo, con esta vuelta a la niñez, don Miguel trata de solucionar un problema espiritual que le preocupaba hondamente desde hacía muchos años, y que se había agravado de hondísima manera en los últimos años del destierro. A través de ella Unamuno enlaza con el mito de la Edad Dorada, del Paraíso Perdido, "ce temps-lá", "largo día que no tuvo mañana", expresando a través de la niñez eterna, esa vuelta a la infancia, edad paradisíaca en que no se sabía leer, ni el tiempo corría, pues no se tenía conciencia de él. El deseo de retornar a la infancia era ya viejo en Unamuno, vivido con frecuencia a lo largo de su evolución, especialmente mediante el recuerdo del paisaje vasco, al que retornaba sin cansarse todos los años desde Salamanca. Sus poesías aluden constantemente a este sentimiento; en el *Romancero del destierro* nos lo expresa con belleza:

> Verdor de mi Vizcayita
> verdura de mi escasez,
> mi corazón va a la cita
> por si te llega la vez...

(25) CHN., 127.
(26) CHN., 132.

> Y cuando el mundo me irrita
> con su horrible desnudez
> es tu dejo el que me quita
> su poso de lobreguez...
> Cuna de tierra bendita
> donde enterré mi niñez,
> en tus entrañas habita
> Dios envuelto en su mudez...
>
> (RD, 49)

Este retorno a la infancia, expresado a veces también en el deseo de una vuelta a las creencias de la niñez, a la fe de niño o de carbonero está íntimamente ligado a su preocupación por el tema de la madre, como más adelante veremos.

3. La vuelta a Salamanca

La bóveda a esta evolución espiritual es su novela *San Manuel Bueno, mártir,* escrita el mismo año de llegar a España después del destierro. La Dictadura cayó a primeros de 1930 y el 9 de febrero Unamuno pasaba la frontera, siendo clamorosamente aclamado en Irún y en Bilbao. El 11 de febrero llega a Salamanca y tras un corto viaje a Madrid, en el que hace manifestaciones políticas, vuelve a su ciudad adoptiva. Durante este tiempo escribe la novela, la tragedia de un cura que no cree. Es indudablemente la misma de Unamuno: un hombre que ha llegado a ser un apóstol sin fe. Pero no se trata de un descreimiento absoluto, como afirma Sánchez Barbudo; el relato está lleno de frases de una creencia desinteresada y de intuiciones místicas que se hallan más allá, sí, de una fe histórica, sobre todo de una fe en la vida perdurable tras la muerte, pero también colmadas de íntima religiosidad, de un último fondo de fe y esperanza. La visión del lago de Sanabria, inspiró a don Miguel su novelita. "Escenario hay en *San Manuel Bueno, mártir* —nos dice—, sugerido por el maravilloso y tan sugestivo lago de San Martín de Castañeda, en Sanabria, al pie de las ruinas de un convento de Bernardos y donde vive la leyenda de una ciudad, Valverde de Lucena,

que yace en el fondo de las aguas del lago" (27). Las poesías
que cita en el prólogo del libro, escritas "a raíz de haber visi-
tado por primera vez ese lago el día primero de julio de 1930",
indican un estado religioso que no puede identificarse con el
ateísmo, aunque así lo quiera creer Sánchez Barbudo. El problema de la novela, según este crítico, es el de la personalidad,
el de la identidad personal —si uno es lo que parece a los
demás— y el de la continuidad individual —si uno seguirá
siendo lo que es—, pero este problema escamotea otro que es
el que verdaderamente preocupa a Unamuno: el del sentimiento de la nada, la intuición de la propia muerte, puesto
que Unamuno no creía, era ateo, y "ese sentimiento —nos dice
dicho comentarista— en toda su terrible desnudez, es el que
Unamuno quería ocultarse, quería esconder, lo cual le llevaba
a hablar confusamente de fe, esperanza y duda" (28). No estamos completamente de acuerdo con Sánchez Barbudo. Es, desde luego, cierto que el problema de la personalidad está latente
en esta obra y en ella se encara directamente; es también
cierto —y en esto hay que darle la razón a Sánchez Barbudo—
que don Miguel tenía intelectualmente resuelto el problema.
No porque fuera ateo, como él piensa, sino porque sencillamente —y sin llevar las cosas más lejos— no creía en la "resurrección de la carne", aunque creyese en otras cosas y, desde
luego, en Dios. Lo que ocurría es que no podía dar forma
práctica y vivida a esta nueva creencia en que se asentaba
su vida, puesto que toda su personalidad y su fama de sujeto
histórico estaba basada en la lucha y en la duda constante
entre ese creer y no creer en la vida ultraterrena. En sus
últimos años tenía ya resuelto su problema: no creía en la
vida perdurable, como lo demuestra en sus años de Hendaya.
Pero sí cree en Dios y en la religión, como nos dice al final
de la historia hablando del párroco ateo: "Y es que creía y
creo que Dios Nuestro Señor, por no sé qué sagrados y no es-

(27)   SMB., 10.
(28)   EUM., 149.

en el acabamiento de su tránsito se les cayó la venda" (29).

(29)   SMB., 57.

cudriñados designios, les hizo creerse incrédulos. Y que acaso Y, sobre todo, en esas poesías a que nos referimos anteriormente, inspiradas a Unamuno por el lago en su primera visita:

> San Martín de Castañeda,
> espejo de soledades,
> el lago recoge edades
> de antes del hombre y se queda
> soñando en la santa calma
> del cielo de las alturas
> en que se sume en honduras
> de anegarse, ¡pobre!, el alma...
> ... ...
> *...y todo se olvida*
> *lo que no fuera primero.*

El claro sentido místico, más aún, panteísta de estos textos, no necesita aclaraciones ni comentarios. Está además en estrecha correspondencia con su experiencia religiosa del páramo castellano, la que le inspiró la visión del mar en Fuerteventura, la de sus años de Hendaya y, en definitiva, ese misticismo constantemente latente en su vida y en su obra y que trató de ocultar siempre con la leyenda de su duda, de su lucha y agonía.

— El Unamuno de *San Manuel Bueno, mártir,* había resuelto su problema religioso, pero la leyenda que había hecho de sí mismo le arrastraba involuntariamente; la historia de su vida pesaba más que sus convicciones religiosas e intelectuales y constantemente se veía llevado a afirmaciones o acciones en que ya no creía y que carecían de sentido. Y este sí que es el verdadero problema de su novela, el de qué es más real, si el yo social, el que los demás ven y nos hemos forjado a lo largo de nuestra vida, o el yo íntimo, el que nosotros mismos vemos cuando nos miramos hacia dentro. —

Se ha discutido por unos y otros —con bastante encono además— si nuestro autor creyó a partir de Hendaya en la inmortalidad que con tanto denuedo había defendido siempre.

Sin pretender decir la última palabra, me parece que los siguientes versos de su *Cancionero* son bastante elocuentes:

No me acuerdo quién fui,
no me acuerdo quién soy,
ni de dónde partí,
ni hacia dónde me voy.
Fueronseme a perder
raíces de verdad,
que he perdido la fe
en mi inmortalidad.

(C., 108)

Los últimos años de su vida fueron trágicos: la muerte de su mujer en 1934 —"su baluarte y su más hondo consuelo" (30)—, la angustia espiritual que señalamos más arriba y las discordias políticas en que, casi sin querer, se vio envuelto, le llevaron a una amargura y una desolación en medio de la cual debió morir aquel célebre 31 de diciembre de 1936, que ya había presentido en 1906, cuando el mismo día, en la Nochevieja, había escrito:

Aquí, de noche, solo, este es mi estudio;
los libros callan;
mi lámpara de aceite
baña en lumbre de paz estas cuartillas,
lumbre cual de sagrario;
los libros callan;
de los poetas, pensadores doctos,
los espíritus duermen;
y ello es como si en torno me rondase
cautelosa la muerte.
... ...
Es una tentación dominadora
que aquí, en la soledad, es el silencio
quien me la asesta;
el silencio y las sombras.
Y me digo: "tal vez cuando muy pronto

_____

(30) FP., 52.

vengan para anunciarme
que me espera la cena,
encuentren aquí un cuerpo
pálido y frío
—la cosa que fui yo, este que espera—
como esos libros silencioso y yerto
parada la sangre,
y helándose en las venas,
el pecho silencioso
bajo la dulce luz del blando aceite,
lámpara funeraria".
Tiemblo de terminar estos renglones
que no parezcan
extraño testamento,
más bien presentimiento misterioso
del allende sombrío
dictados por el ansia
de vida eterna.

(P., 281-2)

Treinta años después, en una Nochevieja igual, Miguel de Unamuno moría inesperadamente, sentado en la camilla de su casa de Salamanca, junto al rescoldo del brasero, mientras un visitante conocido le leía unas cuartillas.

SEGUNDA PARTE

EL MUNDO INTELECTUAL DE UNAMUNO

I. LA TRAGEDIA INTELECTUAL DE UNAMUNO

La separación que Unamuno sufrió de la ortodoxia católica durante sus años de "destierro" en Madrid, así como la "crisis de retroceso" que experimentó al volver, terminados los estudios universitarios, a Bilbao, a su tierra natal, han sido expuestos y por ello no queremos insistir aquí sobre la cuestión. No obstante, vamos a anotar las influencias intelectuales que fueron conformando su personalidad.

Durante su Bachillerato las lecturas de Unamuno se limitaron a Balmes y a Donoso Cortés, únicos filósofos que encontró en la biblioteca de su padre y por los que nunca mostró mucho aprecio; sin embargo, tuvieron cierta importancia, ya que a través de la *Filosofía Fundamental* del primero tuvo noticia de los idealistas alemanes y le impulsaron a conocerlos posteriormente en su original.

Los años de estudio en Madrid se caracterizan por su alejamiento del ambiente universitario, la nostalgia de su tierra vasca y la frecuentación de lecturas filosóficas modernas. El ambiente intelectual español de aquella época estaba empapado de krausismo y Unamuno no dejó de frecuentar a los adalides de su pensamiento como lo reconoce al decir que vivió aquel tiempo, "enfrascado en libros de caballerías filosóficas, de los caballeros andantes del krausismo y de sus escuderos" (1); principalmente se observa esta influencia en su actitud religiosa. Pero no se limitó, desde luego, a ella. Entre las más poderosas influencias de estos años hay que citar a Hegel y a Spencer. De ellos dice: "Tal vez en nuestros místi-

_____

(1) PA., 142.

cos hay una visión unitaria de la vida del universo, y una visión que, como no arrancaba de la ciencia de entonces, ni siquiera de la teología, no está ligada a una forma de ciencia como lo están los sistemas filosóficos, al modo de la de Hegel o la de Spencer, que son concinación y síntesis de los últimos resultados de las ciencias" (2). La admiración por Spencer cedió pronto, pues algo después asegura que aunque pasó por una "época de spencerismo y, sin duda, me enseñó mucho el ingeniero filósofo inglés, afortunadamente salí pronto de su encanto" (3); le aleja de él, sobre todo, su "incapacidad metafísica". No ocurrió lo mismo con Hegel, por quien siempre conservó una admiración invariable y en cuya *Lógica* aprendió el alemán; las huellas de su pensamiento se observan continuamente en sus obras, y, si la mayoría de las veces se rebela contra el idealismo, en favor del hombre concreto, de carne y hueso, y de la realidad como algo independiente del yo, en muchas otras se advierte una concepción idealista del conocimiento. Esto se observa en esa idea suya tan repetida de que la historia es el pensamiento de Dios que recuerda al Espíritu absoluto de Hegel. La vemos una y otra vez en sus poesías:

Pues, que es sino lo que se llama historia,
Señor, tu creativo pensamiento (4).

Y también:

...El pensamiento
de Dios es nuestra historia... (5).

O esa idea inequivocadamente hegeliana de Dios:

Tu reino es de la historia la creciente,
no progresiva, eternidad (6).

Por otro lado, su doctrina de la conciencia como el saber primario que nos es dado por la limitación respecto de las otras cosas, nos sitúa definitivamente en el idealismo. "La conciencia de sí mismo no es sino la conciencia de la propia limitación. Me siento yo mismo al sentirme que no soy los demás;

(2) E., I, 881.
(3) E., II, 162.
(4) FP., 42.
(5) CV., 58.
(6) Ibid., 139.

saber y sentir hasta dónde soy, es saber dónde acabo de ser, desde dónde no soy" (7). Unamuno se instala, pues, en su propio yo, la conciencia que de sí mismo tiene, que alcanza por la presión que las demás cosas ejercen sobre él, y a cuyo conocimiento llega por el amor, la compasión, es decir, la proyección de su propio yo sobre todas las demás cosas. Y cuando ha extendido su conciencia a todas las cosas, las conciencializa en el total Todo, Dios es la proyección de su propio yo.

La base psicológica del idealismo filosófico es siempre el egocentrismo, pues el idealista lo ve todo a través de su propio yo y dentro de éste. En este sentido el conciencialismo de Unamuno se compagina a maravilla con su posición eminentemente solipsista en lo que concierne al problema que más ha de inquietarle de su inmortalidad personal, pues el precipitado psicológico que arroja es el egocentrismo propio de todo idealista. Efectivamente, a Unamuno le interesa el hombre de carne y hueso, pero sólo uno entre todos ellos, Miguel de Unamuno.

El mismo llega a plantearse el problema idealista en estos términos: "¿Qué es, en efecto, existir, y cuando decimos que una cosa existe? Existir es ponerse algo de tal manera fuera de nosotros, que procediera a nuestra percepción de ello y pueda subsistir cuando desaparezcamos. ¿Y estoy acaso seguro de que algo me precediera o de que algo me ha de sobrevivir? ¿Puede mi conciencia saber que hay algo fuera de ella? Cuanto conozco o puedo conocer está en mi conciencia. No nos enredemos, pues, en el insoluble problema de otra objetividad que nuestras percepciones, sino que existe cuanto obra y existir es obrar" (8). Como vemos soslaya el problema en beneficio de una posición pragmatista que enlaza con otra influencia, la que William James dejó posteriormente en él. Muy pronto hablaremos de ella.

Por supuesto, no fueron estas las únicas influencias filosóficas en los años universitarios de Unamuno, aunque sí, sobre todo la de Hegel, las más decisivas. Para completar la ficha

(7) E., II, 55.
(8) E., II, 906.

habrá que citar a Spinoza, Kant, Fichte, Schelling y las figuras de Schopenhauer y Nietzsche, especialmente el primero, por quien conservó una simpatía que se desvaneció, sin embargo, en los últimos años de su vida (9).

En definitiva, el resultado que interesa sacar de estos años es, por un lado, la pérdida de su fe religiosa, por otro, su adscripción intelectual al racionalismo, bien sea hegeliano, bien de tipo positivista. En resumidas cuentas, Unamuno es un agnóstico religioso con decidida confianza en la razón. Por ello, le vemos, durante los años que van del fin de sus estudios universitarios (1884) hasta la ocupación de su cátedra en Salamanca (1891), convertido en un adalid del socialismo más riguroso.

La marcha a Salamanca produjo una repercusión muy fuerte en toda su personalidad. El paisaje castellano, el aislamiento a que se vio sometido y el proceso de interiorismo que entonces se desarrolló le afectaron hondamente. Por otro lado, la influencia de su cristiana esposa y el ambiente religioso de la ciudad, amén del poco eco intelectual que encontraron sus primeros libros, junto a la desgracia de un hijo hidrocéfalo, cuya lenta agonía de siete años le produjo hondísima pena, fueron otras tantas circunstancias que se acumularon para provocar nuevas meditaciones y estados de ánimo desconocidos, que hicieron de los años que van desde su instalación en Salamanca hasta 1897, en que se produjo la crisis citada anteriormente, un período de fuertes conmociones espirituales. En el terreno intelectual, que es el que ahora analizamos, se caracteriza por una crítica del racionalismo y del intelectualismo que hasta entonces había mantenido. Así dice una carta que le dirige Rodríguez Serra: "Creo como usted que el intelectualismo es pernicioso, grave, malo. Estoy persuadido. Yo huyo de él" (10).

Por otro lado, sus inquietudes religiosas también fueron un obstáculo para su ideología socialista. En carta a *Clarín*

---

(9)   SMB., 66.
(10)   Cit. por Zubizarreta: "Desconocida antesala de la crisis de 1897". *Insula,* septiembre 1958.

lo reconoce: "Sueño con que el socialismo sea una verdadera reforma religiosa cuando se marchite el dogmatismo marxiano y se vea algo más que lo puramente económico" (11). Y lo mismo le dice a Juan Arzadún: "Lo malo del socialismo es que se da como doctrina única y olvida que, tras el problema de la vida, viene el de la muerte. ¿Qué hay más allá de ésta? Porque si al morir muero del todo, y como yo los demás hombres, al hacer la vida más fácil, más pasajera, más grata y amable, es aumentando la pena de tener que perderla un día, llevar a los hombres a la infelicidad de la felicidad, a la tremenda *noia* del pobre Leopardi, al *spleen* devorador, a la sombría desesperación que entenebreció la decadencia romana, a esa edad del estoicismo y del suicidio... Del seno mismo del problema social resuelto (¿se resolverá alguna vez?) surgirá el religioso: ¿la vida merece la pena de ser vivida?" (12).

Ante sus necesidades religiosas, cada vez más fuertes, su racionalismo, su positivismo, su intelectualismo no le sirven para el caso; de aquí su afición a los poetas, Leopardi, Carducci, Woodworth, Antero de Quental; a los hombres de espíritu atormentado y agónico, como Pascal o San Agustín; a los místicos españoles o a los teólogos protestantes. Las necesidades intelectuales de Unamuno no se satisfacían, sin embargo, con ello totalmente. Y esta es, sin duda, su tragedia intelectual: el haber nacido y vivido en un ambiente positivista y racionalista cuando sus necesidades más hondas eran religiosas y vitalistas. Su búsqueda de filósofos que compartieran su actitud y que comprendieran sus preocupaciones no se vió, a pesar de todo, frustrada. A lo largo de sus lecturas llegó a encontrar al menos dos espíritus gemelos, Kierkegaard y William James.

Bergson es otro pensador afín a nuestro vasco, con el que compartió principalmente la actitud espiritualista y la crítica contra la razón. Este párrafo del *Sentimiento* es típicamente bergsoniano: "Es una cosa terrible la inteligencia. Tiende a la muerte como a la estabilidad la memoria. Lo vivo, lo que

---

(11)   Carta a *Clarín*. Salamanca, 31-V-1895.
(12)   Carta a J. Arzadún. Salamanca, 30-X-1897.

es absolutamente inestable, lo absolutamente individual, es, en rigor, ininteligible. La lógica tira a reducirlo todo a identidades y a géneros, a que no tenga cada representación más que un mismo y sólo contenido en cualquier lugar, tiempo o relación en que se nos ocurra. Y no hay nada que sea lo mismo en dos momentos sucesivos de su ser. Mi idea de Dios es distinta cada vez que la concibo. La identidad, que es la muerte, es la aspiración del intelecto, la mente busca lo muerto, pues lo vivo se le escapa; quiere cuajar en témpanos la corriente fugitiva, quiere fijarla... ¿Cómo, pues, va a abrirse la razón a la revelación de la vida?" (13). Sin embargo, sólo le cita dos veces en toda su obra, una en "La gloria de don Ramiro", artículo recogido en *Por tierras de Portugal y España,* y otra en las últimas páginas del *Sentimiento* (14).

Pero son, sin duda, Kierkegaard y William James los autores que más honda huella dejaron en Unamuno; del segundo aprovechó el pragmatismo religioso, con el primero se sintió hermanado en el sentimiento trágico y angustioso de la duda religiosa. Los tres, sin embargo, gozan de características comunes que les acercan mutuamente. Los tres parten —al menos así parece— de la singularidad individual y, con ella, del mundo de la sensibilidad, de la experiencia inmediata para tratar de alcanzar la realidad metafísica, aunque en cada uno de ellos se realice de forma distinta; los tres también se colocan del lado de la voluntad y el sentimiento frente al intelectualismo extremo profesado por racionalistas e idealistas, con lo que tratan de llegar al hombre integral, en que a fuerza de "pensar con todo el cuerpo, con los pulmones, con el vientre, con la vida" (15), se dan conjuntamente hermanadas la verdad y la vida. Así lo expone en su ensayo *La Ideocracia:* "La verdad es algo más íntimo que la concordancia lógica de los conceptos, algo más entrañable que la ecuación del intelecto con la cosa —*adequatio intellectus et rei*—; es el íntimo consorcio de mi espíritu con el Espíritu universal... Todo lo

(13)   E., II, 810.
(14)   Ibid., 1020.
(15)   E., I, 741.

demás es razón, y vivir verdad es más hondo que tener razón" (16).

Este punto de partida se introduce también en su religión y da a su concepción de la fe un carácter pragmático, tal como la expone James en *La voluntad de creer*. En esa inspiración surge su doctrina de la fe como creación humana. La fe no consiste en "creer lo que no vimos", como reza el catecismo, sino en "crear lo que no vemos"; la fe se halla, por tanto, en dependencia de nuestra voluntad, de nuestro sentimiento, de nuestro deseo también y está vinculada a un concepto pragmatista de la vida. Por ello puede decir Unamuno: "Todo es verdad, en cuanto alimenta generosos anhelos y pare obras fecundas; todo es mentira mientras ahogue los impulsos nobles y aborte monstruos estériles. Por sus frutos conoceréis a los hombres y a las cosas. Toda creencia que lleve a obras de vida es creencia de verdad, y lo es de mentira la que lleve a obras de muerte. La vida es el criterio de la verdad y no la concordia lógica, que lo es sólo de la razón. Si mi fe me lleva a crear o a aumentar la vida, ¿para qué queréis más pruebas de mi fe?" (17). Este pragmatismo utilitarista es el que lleva a Unamuno a superar o, por lo menos, a soslayar el problema del idealismo, pues para el "existir es obrar y sólo existe lo que obra".

Esta posición aplicada a la fe, le lleva a creer en la inmortalidad personal, necesidad surgida de las más hondas entrañas de Unamuno, en contra de lo que afirma la razón. La contradicción entre razón y fe, que como vemos se identifica con la vida en este pragmatismo, es lo que origina la duda, es decir, la agonía de su vida y ese sentimiento trágico que no ha de abandonarle ya. No obstante, en esta nueva posición encuentra un alma gemela: la de Kierkegaard, hombre angustiado si los hay. La identidad cordial, ya que no enteramente ideológica, con la figura del danés, es el índice representativo de su tragedia intelectual: la de un hombre que aspira a creer sin que la razón se lo permita, la de un intelectual religioso, de necesidades profundamente vitales en un mundo en que

(16)   E., I, 252-3.
(17)   E., II, 181.

la ideología predominante es positivista y racionalista. Kierkegaard le acompañó en su soledad y le alentó, con el ejemplo, en su tarea.

La diferencia, sin embargo, entre Kierkegaard y Unamuno es radical, pues el primero parte de su cristianismo y, por tanto, de la creencia en Dios y en la inmortalidad, aunque por considerar absurda esta creencia mantenga una lucha constante para llegar a una apropiación íntima, una integración plenamente humana de lo que ya había admitido intelectualmente; es decir, trataba de vivir de acuerdo con su verdad, asimilándola "subjetivamente". Su frase "la subjetividad es la verdad" es, por encima de cualquier otra cosa, una defensa de la existencia auténtica del individuo. Kierkegaard cree, desde el primer momento, en una verdad *a priori*, pero nos asegura que de ella no podemos decir nada hasta que no la hayamos realizado en nuestra existencia.

Unamuno, sin embargo, no deja de pedir razones para creer; no es capaz de instalarse en la verdad cristiana por la fe, comprometiéndose así existencialmente. Según la terminología kierkegaardiana se mueve todavía en el plano estético, no ha llegado a la zona ética del compromiso moral sin reservas, a la incondicionalidad de la decisión. Por eso Unamuno no podía crer en la inmortalidad personal que tanto necesitaba y así surge su angustia como una lucha entre el no creer y el anhelo de creer; en esta lucha, lucha titánica y despiadada, que mantuvo a lo largo de casi toda su vida, se aferró al pragmatismo de W. James, según el cual la verdad es aquella creencia que nos hace vivir; y asentado sobre semejante doctrina se dedicó a forjar el mundo de verdades en que quería creer. El resultado de ello es, primero, su *Vida de don Quijote y Sancho*. luego, *Del Sentimiento trágico de la vida,* y, por último, *El Cristo de Velázquez,* libro donde da libre expresión a sus anhelos de creer en Cristo y en su propia inmortalidad; sin embargo, nada pudo contra la razón que le arrastraba.

Don Miguel trató de hacer de sí mismo ese ideal quijotesco que él se había inventado, la leyenda de un quijote cristiano que sobre sí había creado. Y con ese núcleo de pensamientos

inicia la formación de su personalidad legendaria que, más
lucha con la personalidad íntima y profunda. La tragedia inte-
tragedia personal, como tendremos ocasión de ver a lo largo
lectual de Unamuno nos lleva así a lo que ha de constituir su
tarde, a partir principalmente del destierro, mantendrá en
de esta obra.

II. LA TRAGEDIA SOCIAL

Las circunstancias que hemos enumerado anteriormente, el paisaje castellano, el ambiente religioso de Salamanca, el hijo hidrocéfalo y las concomitancias a ellos anejas, estimularon los sentimientos religiosos de Unamuno, que, por otro lado, no andaban muy dormidos, pues ya en su novela *Paz en la guerra* tuvimos ocasión de observarlos bajo la forma de un panteísmo solapado que hizo vaticinar a su amigo Jiménez Ilundaín la proximidad de una crisis religiosa. El temperamento místico de Unamuno es algo que no se puede soslayar en ningún momento, pues constituye sin duda el estrato más hondo de la personalidad de don Miguel. Por eso, a nadie que le conociese profundamente podría extrañarle su evolución hacia formas de pensar menos intelectuales y racionalistas e incluso francamente místicas, aunque por el momento tratará de compaginarlas con el socialismo. "Yo también tengo mis tendencias místicas —dice en carta a *Clarín*—, pero éstas van encarnando en el ideal socialista tal cual lo abrigo" (1).

Sin embargo, un nuevo obstáculo, una dificultad nacida de su propia personalidad, va a surgir para el libre y espontáneo desarrollo de sus sentimientos religiosos. Se trata de una vanidad insobornable que ha de interponerse en su camino hacia Dios. Sobre el origen y la significación de esta vanidad en el conjunto de su desarrollo y de su obra vamos a tratar largamente en todo este libro. Por ahora sólo queremos señalar el influjo que estos primeros años en Salamanca tuvieron para su consolidación.

---

(1)   Carta a *Clarín;* Salamanca, 31-V-1895.

Miguel de Unamuno era cuando llegó a Salamanca un hombre inteligente, consciente de su propio valer y con una buena dosis de autosuficiencia y confianza en sí mismo, con el deseo ardiente de convertirse en un paladín de las letras hispanas, admirado y aplaudido por todo el mundo.

Pero el ambiente de la ciudad no puede ser menos propicio para ello. La vulgaridad y ramplonería de las gentes que le rodean, le abruman y hastían, produciéndole un hondo cansancio espiritual. El ambiente se le cae encima, pues su inteligencia y sus ambiciones no encuentran eco entre sus conciudadanos de la ciudad salmantina. Sus quejas son constantes respecto a "esta ciudad en que vivo, y donde se gastan los más espesos y más duros caparazones que he conocido en mi vida. Para crustáceos espirituales, créeme, no hay como los castellanos. Le están tratando a uno años enteros, y no sabes si ha llorado alguna vez en su vida, ni por qué lloró. Son de una pieza, y todo lo entienden en una pieza. No les pidas el sentimiento del matiz, de la transición, de la media tinta, ni menos la comprensión de los contrarios. Para ellos, lo que no es blanco es negro. Y ¡qué habilidad tienen para no entender cosa alguna a derechas! Y como son chismosos y cuenteros y encismadores, jamás puede estarse seguro entre ellos. De mí puedo decirte que de cada veinte cosas que de mí te cuenten, si vienes acá y las oyes, las dieciocho son mentiras, y las otras dos están desfiguradas" (2).

Pero no es sólo el ambiente de su ciudad adoptiva, sino de todo el ámbito nacional en general, incluso de la corte. Leamos sus palabras: "Cuanto más lo considero, me parece más espesa, más bochornosa, más irrespirable la ramplonería ambiente. No ha mucho he vuelto de un viaje a la corte, y aún me resuenan en los oídos las simplezas de siempre; ¡las mismas de siempre! ¡Si fuesen otras!... A cada viaje, un nuevo desengaño. Siempre esperando oir simplezas nuevas, nuevos estribillos, algún disparate no oído antes, y siempre topando con los mismos perros, que adornados por los mismos collares, ladran los mismos ladridos. Me asomo a aquel rinconcito, y no

_____
(2) E., I, 704.

bien empujo la dócil puerta de la vidriera, oigo la misma voz doctoral que endilga las mismas cosas tan manidas y tan huecas como la primera vez que de esa boca salieron" (3).

Don Miguel encuentra que el vulgo de su tiempo es peor que el de otros, quizá por hallarse a su alcance medios técnicos que otros pueblos no poseyeron; con ello no hizo sino anticipar el problema que las masas plantearían en nuestra época: "Siempre ha habido vulgo, no cabe duda —nos dice—; pero se me antoja que el vulgo de otros tiempos era más respetuoso que el de estos en que vivimos, que sabía ignorar y sabía respetar a los que sabían más que él. Pero ¡este vulgo que tengo que padecer! ¡Este vulgo mimado, adulado a diario!" Y su actitud frente a ellos es la lucha denodada, la agresividad más violenta: "Sí, me acuerdo de los Marco Aurelio; me acuerdo de ellos. Ya que no podemos hacer que sean de otro modo que como son, dejarlos. Pero no, yo no los dejo. ¿Que nada consigo con estas agrias, desabridas y displicentes censuras? ¿Que nada se consigue con llamarle tonto al tonto y al ramplón, ramplón? ¡Quién sabe!" (4).

Esta situación le hace a nuestro vasco sentirse solo y aislado en el mundo, sentimiento —nos dice él— que "puede llegar a producir terribles estragos en el alma y aún a ponerla al borde de la locura" (5). El se sobrepuso a este sentimiento terrible y agotador, tratando de salvar su aislamiento mediante una intensa relación epistolar con toda clase de gentes y personas. A este respecto no puede caber duda, pues su epistolario, con las gentes más diversas y variadas, de las más dispares ideologías y temperamentos, nos lo testifican sobradamente. Los destinatarios más comunes ocupan por sí solos una buena lista. Los nombres de Rubén Darío, Alfonso Reyes, José Ortega y Gasset, Angel Ganivet, Bernardo G. de Candamo, Clarín, Pedro Jiménez Ilundaín, Pedro Corominas, Gilberto Beccari, Bernardo Rodríguez Serra, Francisco Urales, Juan Arzadún, Juan Barco, Bogdán Raditza, Juan Maragall, Teixei-

---

(3)   Ibid, 678.
(4)   E., II, 674.
(5)   E., I, 702.

ra de Pascoes, Antonio Machado, Macías Casanova, Otto Buek, Federico de Onís, recordamos ahora entre los más salientes y bastan para nuestro intento.

El primer objetivo que se propuso alcanzar con una correspondencia tan dilatada fué vencer el vacío y la incomprensión que le rodeaban en la ciudad salmantina. Se lo expresa con sinceridad a *Clarín*: "Yo, como usted, siento el vacío de nuestra atmósfera, las pocas personas con quienes se puede comulgar. La soledad en que vivo creo me fortifica, pero es empobreciéndome, acusando en mí lo diferencial y excluyente a expensas del fondo humano que con el trato se vivifica" (6). Entre los contenidos que fueron diferenciando a Unamuno logró un puesto muy destacado la necesidad de sobresalir y ser famoso, es decir, la vanidad. Y las cartas que, en un principio, constituían la realización de una íntima necesidad de comunicación sincera y espontánea se fueron convirtiendo en un medio ampliamente utilizado de satisfacer esa vanidad, sobre todo después de la publicación de sus dos primeros libros, que no obtuvieron todo el éxito que él deseaba.

El epistolario a *Clarín,* aunque ocupa un lugar intermedio entre la sinceridad y la vanidad, está ya, en sus líneas generales, movido por la necesidad de hacerse famoso. La primera carta que le escribió, sin conocerle de nada, lo hace bajo el pretexto de una etimología equivocada a que *Clarín* alude de pasada en uno de sus artículos en *El Imparcial;* es, desde luego, un pretexto para que el reconocido y altanero crítico de aquella época se ocupe de él. No tiene recato en reconocerlo así, pues al final de la carta le dice: "Supongo, además, que usted, que tiene penetración y experiencia, verá, desde luego, lo que hay de pretexto en la ocasión de que me he servido para dirigirle esta carta" (7). Y en otra es aún más explícito: "Unas observaciones críticas de V. no pueden por menos que hacer que mis trabajos sean más leídos"; y aún añade más arriba: "Usted sabrá dispensar lo que haya de excesivo en este empeño de darse a conocer y de solicitar atención un hombre joven

---

(6)   Carta a *Clarín.* Salamanca, 31-V-1895.
(7)   Carta a *Clarín.* Salamanca, 28-V-1895.

que empieza a luchar" (8). El 2 de octubre del mismo año vuelve a insistir: "En la dura lucha por la conquista del público una ayuda como la que V. me presta abrevia camino y ahorra no pocos esfuerzos de los puramente estratégicos, de los que distraen energía del objeto final, del impersonal y desinteresado".

Nadie se dejará engañar por estas palabras finales si se tiene en cuenta —cosa que vamos a demostrar a lo largo de este libro— que Unamuno no hizo otra cosa en toda su vida que hablar de sí mismo. "Permitidme que os hable de mí; es el yo que tengo más a mano". En la carta que le dirige a *Clarín*, ya en 1900, carta famosísima por la sincera confesión que contiene de su drama espiritual, todo esto aparece con una claridad que no admite dudas, pero como es consecuencia de la crisis de 1897 estudiada en otro lugar de esta obra, allí remitimos al lector.

Por ahora nos basta señalar lo que representa la tragedia social de Unamuno, su lucha contra el ambiente, contra la penuria espiritual de sus vecinos y la atonía intelectual del medio en que le tocó vivir. "Me siento apenado por el espíritu de mezquindad que domina nuestra cultura, o lo que sea; es un espectáculo deprimente. Casi todos acaparazonados, el instinto de conservación a la defensiva. Y luego, lo más doloroso, la falta de ambición y sobra de codicia que tan perdidos nos trae en España. Otra cosa sería si en subir más alto pusiésemos la mitad del empeño que ponemos en no caer" (9). Es esta mezquindad la que le hizo designar metafóricamente a sus conciudadanos como "crustáceos espirituales" e inspirado en ella surgió la fantasía de "retirarme al desierto, no ya por cuarenta días, sino por cuarenta meses, y dedicarme allí a fabricar un gran mazo, claveteado de grandes clavos, y endurecerlo al fuego y probarlo contra los peñascos y berruecos; y cuando tenga uno a prueba de las más duras rocas, volver con él a este mundo y empezar a descargar mazazos sobre todos estos pobres

(8)   Carta a A. Ganivet. Salamanca, 20-XI-1898.
(9)   Ibid. Salamanca, 25-III-1900.

crustáceos a ver si, descanchadas sus costras, se les ven las carnes al descubierto" (10).

La indiferencia del ambiente le llevó a una preocupación morbosa rayana en la locura, por él mismo. Uno de los críticos más reacios a hacer afirmaciones de esta índole también lo reconoce. "Le preocupan, evidentemente, los juicios del ambiente", dice A. Zubizarreta en el artículo de *Insula* que hemos citado, y a continuación para corroborarlo se refiere a una carta de Rodríguez Serra a Unamuno: "Parece que se preocupa usted algo de lo que puedan decir. ¿A V. qué le importa? ¿No tiene ya el bien superior?" Se trata, nada menos, que de los pruritos de conversión al catolicismo que Unamuno tuvo por esas fechas y que le llevaron a practicar fervorosamente. Pero ya sabemos en que quedó todo esto,y más adelante se verá con mayor claridad. En carta a F. Urales dice: "Bajo aquel golpe interior volví o quise volver a mi antigua fe de niño. ¡Imposible! A lo que realmente he vuelto es a cierto cristianismo sentimental, algo vago, al cristianismo llamado protestantismo liberal". Después de haberse hundido en las devociones rutinarias, tras la crisis del 97, "se percató de que aquello era falso, y volvió otra vez a encontrarse desorientado, pero otra vez preso de la sed de gloria, del ansia de sobrevivir en la historia" (11). Esperamos que esta investigación demuestre que no se trata en estos cambios de las veleidades de un corazón caprichoso o advenedizo, sino de una psicología enferma o quizá inadaptada.

Es, pues, indudable que en 1900 Unamuno ya había decidido hacerse famoso por encima de toda otra consideración. La disociación entre el *yo real* y el *yo artificial* se produce, pues, como consecuencia de la mediocridad y ramplonería del ambiente. En esto se inspiran sus piruetas, sus gestos y su constante hablar de sí mismo, como afirma quien por aquella época debía ser buen amigo suyo (12). Nos dice este desconocido que don Miguel, cuando hay mucha gente a su alrededor, "se pone

(10)   E., I, 704.
(11)   Carta a *Clarín*. Salamanca, 9-V-1900.
(12)   "El Unamuno de 1900 a 1903 visto por M.". *Cuadernos de la Cátedra Miguel de Unamuno*, II.

jactancioso y hueco" y suele "hablar de sí mismo"; teme este
señor que "meta la pata en Cartagena", donde fué a dar una
conferencia "por el pícaro afán de notoriedad y aplauso que le
ciega y por la grillería que tiene en la cabeza"; nos cuenta
también que en otra ocasión Unamuno "estuvo explicando la
razón de sus sinrazones, el porqué de sus chifladuras y locuras,
el fin deliberado, según dice, que se ha propuesto haciéndose
aparecer excéntrico y loco, que es el darse a conocer, el dar
que hablar, el volver locos a los demás, para que así, formada
atmósfera, como ahora dicen, poder hacerse oír y que no pase
desapercibido. Todo esto lo exponía con detalles y circunstancias de sus campañas, muy curiosas por cierto". Por otro lado,
nos asegura que ha llegado a confesarle su propósito: "¡pretende ser nada menos que el Lutero español!" Ya veremos, cuando hablemos de su religión, la importancia que tienen estos
testimonios.

Nuestro interés se limita, por el momento, a señalar la importancia que el medio social que le rodea, esa mediocridad ambiente, tuvo en la forja y desarrollo de su vanidad. Y como
ésta se sintió estimulada y espoleada por obra y gracia de la
testarudez de sus prójimos, hasta el punto de aliarse, en la
crisis de 1897, a su prurito de conversión religiosa, de la que
ya no podemos por más tiempo dejar de hablar detenidamente, como lo hacemos en el próximo capítulo. Terminamos así
con lo que hemos calificado de tragedia social de su vida.

III. LA SIGNIFICACION RELIGIOSA E INTELECTUAL DE LA CRISIS DE 1897

Hemos visto en la Primera Parte de este libro que la crisis de 1897 fué condicionada por un proceso psicológico de introversión en el que influyeron de modo decisivo las circunstancias ambientales, principalmente la geográfica y la social. La primera había de producir esas vivencias místicas —"vivencias de las cumbres", dice Granjel— en las que el sentimiento religioso de Unamuno se explayaba con frecuencia, acuciando sus necesidades espirituales; la segunda, al vivir en un ambiente mediocre y vulgar, aumentaba su sed de gloria mundana, su necesidad de ser oído, escuchado y aplaudido. La incomprensión que le rodeaba exacerbaba estos sentimientos.

Entre estas dos necesidades —la de religión y la de popularidad— se desarrolló el drama unamuniano. Un hombre como él, formado en el racionalismo krausista, debía tener una religiosidad agnóstica o con reminiscencias panteístas en la que los motivos de inspiración más importantes fuesen la *meditatio mortis* y el *vanitas vanitatis*. Sin embargo, este tipo de religión —meditación, serenidad, paz, contemplación— no tenía más remedio que tropezar con su afán de fama y notoriedad pública. ¡Y ya estamos en plena contradicción! Unamuno no supo o no pudo renunciar,a lo largo de su vida, a ninguna de estas necesidades y, por ello, toda ella fué una continua "agonía", una lucha constantemente mantenida y estimulada, productora de angustia y soledad.

Este conflicto no se mantuvo a sus ojos del modo descarnado y crudo con que nosotros lo exponemos aquí. Si hubiera hecho tal, habría pasado ante sí mismo como un hipócrita —pues se dedicaba a adquirir fama, cuando la honda necesidad de su vida era una religiosidad serena y recogida—; o por inmoral, puesto que realizaba un valor inferior en contra de otro superior. Por el contrario, la crisis a que nos referimos tuvo por objeto, al menos de un modo inconsciente, ocultar el conflicto en que se engendró.

La crisis se nos manifiesta, en lo que se refiere al aspecto religioso, bajo el carácter de una "conversión" al cristianismo. Se trata, efectivamente de una conversión, ya que surgió de modo repentino, pues, aunque sus preocupaciones religiosas habían aumentado últimamente no tomaron ningún matiz definido. Al día siguiente de la noche en que surgió la crisis, Unamuno marchó al convento de los Padres dominicos de Salamanca, donde pasó tres días; a partir de entonces volvió a practicar el culto católico, "hundiéndose —como le dice a Clarín— en las devociones más rutinarias". El conocimiento pormenorizado de las reflexiones que se hizo durante este tiempo sólo podrá tenerse cuando se publique el Diario inédito, descubierto por A. Zubizarreta en 1957 (1). Sin embargo, el testimonio que conservamos de ella a través de las cartas y los trabajos literarios inmediatamente posteriores a la crisis son materiales sobrados para tener un conocimiento suficiente.

La expresión literaria de la crisis tampoco ofrece dudas, y vamos a examinarla a continuación, pues es de especial interés para comprender la evolución religiosa de don Miguel. La encontramos en el drama La Esfinge, inspirado sin duda en dicha crisis, como lo atestigua este párrafo de una carta a Corominas: "en una crisis de que casi me avergüenzo, crisis de que salió mi drama" (2), y en estos otros: "en mi drama (que es una confesión...), en mi drama me he confesado, más aún que en el Nicodemo" y "fruto de las últimas vicisitudes por las que ha pasado mi espíritu ha sido mi drama, al que estoy dando la última mano", en cartas a Clarín y Jiménez Ilundaín,

(1)   "Aparece un Diario inédito de Unamuno". Mercurio Peruano, abril 1957.
(2)   Carta a Pedro Corominas. Salamanca, 11-I-1901.

respectivamente (3). Este drama, según el propio Unamuno, "es la lucha de una conciencia entre la atracción de la gloria, de vivir en la historia, de transmitir el nombre a la posteridad y el encanto de la paz, del sosiego, de vivir en la eternidad. Es un hombre que quiere creer y no puede; obsesionado por la nada de ultratumba, a quien persigue de continuo el espectro de la muerte. Está casado y sin hijos. Su mujer, descreída y ambiciosa, le impulsa a la acción; a que le dé nombre, ya que no hijos. Es un tribuno popular, jefe presunto de una revolución. Después de un gran triunfo oratorio, y cuando más esperan de él, quema las naves, renuncia a su puesto, escribiendo al Comité de Salud Pública una carta que no admite arrepentimiento; a consecuencia de esto, su mujer, después de tratarle como a un loco, le abandona; le abandonan los amigos y se refugia en casa de uno, el único fiel, a buscar paz y fe. El día de la revolución, las turbas descubren su retiro, van allá, le motejan de traidor, quiere contenerlas y cae mortalmente herido. Entonces reaparece la mujer, a la que pide que le cante el canto de cuna para el sueño que no acaba" (4).

No es necesario ser muy perspicaz para ver aquí el reflejo de la lucha que mantuvo don Miguel durante estos años. Efectivamente, desde su llegada a Salamanca, la oposición entre los simultáneos deseos de eternidad y popularidad era cada vez mayor. Sin embargo, de la irreductibilidad entre ambos no llegó a darse cuenta hasta el inopinado estallido de la crisis, pues esa dramática oposición venía larvándose de forma subconsciente. De aquí su sorpresa cuando aquella estalló y la necesidad de intimidad que siguió a su irrupción. No se trata sólo de las prácticas religiosas a que se entregó, sino de la imprevista resolución de no publicar, al menos cosas íntimas. pues como dice en carta a Arzadún: "No quiero que lo que pueda llegar a ser la verdadera regeneración de mi espíritu y la curación de mis males se convierta en aventura literaria". Y añade todavía: "Trabajo por dentro y hacia dentro más que

---

(3)   Carta a *Clarín*. Salamanca, 9-V-1901.
       Carta a P. Jiménez Ilundaín. Salamanca, 23-XII-1898.
(4)   Carta a A. Ganivet. Salamanca, 20-XI-1898.

nunca, pero creo mi deber reservar lo más íntimo..., huir de exhibiciones..., esquivar toda mostración a curiosos e impertinentes y no dejar que con la publicidad se evapore lo más preciado... En mi diario de estos meses tengo cantera para muchos artículos, pero eso debo reservarlo... ¡Cómo envenena el literatismo y nos lleva a tomarlo todo como experiencia y prueba!" (5).

Es indiscutible que Unamuno no siguió estos propósitos, sino que se dejó llevar del erostratismo. La crisis de 1897 no fué, en definitiva, más que la toma de conciencia de una situación crítica que ya existía en su ánimo; todavía digo más, y es que la crisis, lejos de ser —como piensa Sánchez Barbudo— el origen de la oposición entre los contradictorios deseos de fama y salvación, es la reconciliación de ambos. Esta reconciliación fue en los primeros tiempos la supresión del afán de fama, como refleja en el cuento *Una visita al viejo poeta* (6). Se trata en éste de un poeta que ha renunciado a la gloria literaria para refugiarse entre las cuatro paredes de un jardincillo doméstico, donde se recrea en su intimidad y, por ésta, en Dios. Escuchemos sus propias palabras: "¡Mi nombre! ¿Para qué he de sacrificar mi alma a mi nombre? ¿Prolongarle en el ruido de la fama? ¡No! Lo que quiero es asentar en el silencio de la eternidad mi alma. Porque, fíjese, joven, en que muchos sacrifican el alma al nombre, la realidad a la sombra. No, no quiero que mi personalidad, eso que llaman personalidad los literatos, ahogue a mi persona (y al decirlo se tocaba el pecho). Yo, yo, yo, este yo concreto que alienta, que sufre, que goza, que vive; este yo intransmisible..., no quiero sacrificarlo a la idea abstracto, a ese yo cerebral que nos esclaviza". Y más adelante: "No quiero inmolar mi alma en el nefando altar de la fama, ¿para qué?".

En esta narración presenta, pues, Unamuno la situación en que él hubiera querido quedar a raíz de la crisis; sin embargo, no habría de quedar así la cosa. La vanidad volvería a surgir a los pocos meses, envolviéndole con el afán de so-

(5)   Carta a Juan Arzadún. Salamanca, octubre 1897.
(6)   EM., 130-5.

brevivir en la historia. Es entonces cuando, gracias a su cristianismo recién adquirido, logra verdaderamente conciliar los
dos extremos de su conflicto: pervivencia histórica y eterna.
Efectivamente, es curioso observar que, entre todos los dogmas del cristianismo Unamuno se aferra con absoluta exclusi-
vidad y de un modo extrañamente apasionado al de la inmortalidad del alma, con más exactitud, al anhelo imperecedero
de ser inmortal, que al no ofrecernos las garantías de la razón para su cumplimiento en el otro mundo, se satisface con
la supervivencia en el presente. Es de estas consideraciones
de donde don Miguel tomó pie para el desarrollo de toda su
obra posterior. Todo este libro que tienes entre manos, lector,
no es más que el desarrollo, la explicación y la demostración
de esta tesis. Por ello podemos decir con Corominas: "La vida
de Unamuno en adelante fué una remembranza de aquella
lucha. Si algún rumor quedaba en el fondo de su corazón era
el eco inextinguible de aquella infortunada voluntad de
creer" (7).

En su *Meditación Evangélica* que conservamos con el nombre de *Nicodemo, el fariseo,* leída como conferencia en el Ateneo de Madrid en 1899, nos cuenta, quizá con mayor detalle
que en otros sitios, el núcleo de su crisis. Nicodemo es un fariseo que representa el caso de algunos "idealistas creyentes en
una vaga vida superior", pero que no quieren dejar su religiosidad incierta para aferrarse a religión, es decir, no quieren
aceptar una fe concreta, un dogma cerrado. Es curioso recordar que la correspondencia con Corominas se basaba precisamente en el mismo tema: "como en un espíritu empapado de
religiosidad puede producirse la polarización de la fe". Bien,
el caso es que Nicodemo, tras una crisis íntima en la que
también hubo lágrimas y recuerdo de la infancia, como en la
de Unamuno, marchóse "de hurto a visitar a Jesús. Sin que
ningún importuno se entere, a escondidas..., se avista con el
Maestro"; después de esta entrevista con el Salvador, Nicodemo salió "con el ánimo preñado de altas ideas", pero volvió

(7) P. COROMINAS: "La trágica fe de Miguel de Unamuno". *Atenea.*
Santiago de Chile, julio de 1938, XLVI (101-114).

al mundo y a sus vanidades, "volvió a vivir su alma la vida exterior, la de su costra terrena, mas conservando siempre en el oculto fondo el fervor de aquella noche".

El caso de Unamuno está claramente presente en este relato. Exactamente igual que Nicodemo, por la misma circunstancia de una religiosidad incierta, él también sufrió una crisis, de la que surgió remozado y purificado, pero que indudablemente no le llevó al apartamiento del mundo, puesto que a los pocos meses ya estaba haciendo público lo que había constituído su más honda y secreta intimidad. El afán de fama y gloria terrena se había vuelto a apoderar de él, aunque ya sin aquella contradicción insoluble que resultaba insostenible a sus propios ojos. Ahora, su vaga religiosidad lo es un poco menos que antes; se caracteriza por un amplio cristianismo que con la creencia en la resurrección de la carne, justifica su anhelo de inmortalidad y, tras éste, negado por la razón, su anhelo de perpetuidad histórica. Desde el punto de vista religioso me parece que queda patente que la "conversión" de Unamuno al cristianismo no tiene el carácter de una vuelta a la ortodoxia, sino a un cristianismo agnóstico y agónico, de cariz bastante protestante y en el que lo más importante es el dogma antes citado.

En lo que se refiere al aspecto intelectual la crisis tuvo como finalidad ocultar el conflicto moral entre religión y fama que atormentaba el alma de Unamuno. El cristianismo agnóstico a que llegó, una vez pasado el arrebato primerizo, le permitió aferrarse a una tercera necesidad, más fuerte que las otras dos, que alentaba bajo ellas y que, por tanto, las engloba dentro de sí. Se trata del ansia de inmortalidad, de la necesidad de pervivencia del propio ser, de la eternización de la conciencia individual, sea de la forma que sea y no importa por qué camino. Esta exige realizarse imperiosamente y ante ella no cabe renunciar; por eso, si la razón nos muestra que es un ansia inútil, como así lo hace, trata de cumplirse a través de una inmortalidad mundana, la pervivencia en la historia mediante el nombre y la fama.

El ansía de inmortalidad es, en principio, una necesidad

religiosa, pues trata de alcanzar gloria en vida ultraterrena. Al encontrar el obstáculo de la razón que niega rotundamente la existencia de una conciencia individual más allá de la muerte, se llega a convertir en un justificante del ansia de sobrevivir en la historia. La pervivencia histórica aparece como un paliativo de la intemporal, pero se trata de un paliativo tan pobre que no amengua el deseo de inmortalidad eterna, que vuelve a surgir y a renacer siempre insatisfecho. Así surge una nueva contradicción entre la necesidad de salvación eterna y la razón que niega toda eternidad individual. La contradicción entre religión y fama se convierte ahora en una contradicción entre religión y razón; el conflicto que antes era moral entre dos valores contrapuestos —la fama y la paz— se trastoca en un conflicto intelectual —la razón y la fe—. Con ello el drama religioso de don Miguel cobra una apariencia moral y una dignidad filosófica de que antes carecía. Es de este conflicto dramático del que Unamuno hizo el centro de su filosofía y de su vida durante los años de madurez. El constituyó el *yo histórico* de Unamuno, yo externo y público, que trató de exhibir en medio de grandes gestos y alharacas, con el cual ocultó hasta sus últimos años —los del destierro— su verdadero conflicto —el problema de la personalidad— entre religión y fama.

Esta tergiversación de un conflicto moral en otro intelectual fué inconsciente a los ojos de Unamuno. Por debajo de él, y dándole base, está, desde un punto de vista biológico, el instinto de perpetuación; sobre ello no insistiremos. Por el contrario, las implicaciones psicológicas derivadas de él constituirán el tema de lo que nos queda por decir.

Por último, no queremos terminar esta parte sin llamar la atención, aunque sólo sea ligeramente, al fondo regresivo de la crisis de don Miguel. Hemos de notar que toda ella se caracteriza por un permanente deseo de vuelta a la infancia. Cuando habla de recobrar la fe se refiere a su fe infantil y si trata de hundirse en las devociones más rutinarias es "para sugerirse su propia infancia", como le dice a *Clarín*.

En su drama *La Esfinge* está también claro cómo el protagonista Angel, trata de resolver su conflicto, haciendo que su mujer le prohije y le vuelva a la primera edad. Por eso cuando ella le dice: "¡Hijo mío!", él exclama agradecido: "¡Así..., así..., Eufemia..., así..., hijo..., hijo tuyo! ¿No querías ser madre? Y me tenías a mí, al niño de siempre..., a tu hijo..., a tu hijo enfermo..." Y al final, cuando está muriendo: "Cántame el canto de cuna para el sueño que no acaba..., arrulla mi agonía que viene de cerca..., reza por mí, por ti, por todos..." (8)

(8)   TC., 293-6.

TERCERA PARTE

LOS RASGOS PSICOLOGICOS DE UNAMUNO

I. SEMBLANZA Y RASGOS PARTICULARES

Miguel de Unamuno, en su porte como en su significación, aparece en el panorama de nuestras letras como una torre señera y aislada, que atrae por su rareza y singularidad. Es adecuado imaginarle paseando bajo los soportales de la Plaza Mayor de Salamanca, entre los edificios dorados de aquella ciudad, por la carretera de Zamora, ante la llanura castellana de la Armuña —"dorado campo de mis ensueños de otoño"—, frente a la nevada sierra de Gredos, que sirve de telón al árido paisaje, monologando incansablemente con sus amigos y acompañantes en una constante alusión a sí mismo, a su propio e insobornable yo. "Unamuno —nos dice Madariaga— trata ante todo, quizá siempre, de su propia persona. Ello se debe primero a que Unamuno está obseso de sí mismo" (1).

Y, efectivamente, cabe verle sobresalir, entre el montón de acompañantes, por su continua parla, como un "hombre alto, ancho, huesudo, de altas mejillas, nariz aguileña y afilada barba gris... alta frente agresiva, que prolonga un pelo acerado, dos ojos como barrenas que miran al mundo intensamente tras unas gafas que parecen apuntar al objeto como microscopios: expresión combativa, pero de nobles combates" (2). Esa mirada penetrante, profunda, de Unamuno ha hecho que casi todos sus retratistas coincidan en aplicarle una imagen feliz al compararla con la mirada fija del buho. Así, Azorín, el conde de Keyserling, Ramón Gómez de la Serna y la ya clásica caricatura de Bagaria, de donde partió la iniciativa.

---

(1) SALVADOR DE MADARIAGA: *Semblanzas literarias contemporáneas.* Barcelona, 1924, p. 135.

(2) Ibid., p. 129.

Era también clásica su costumbre de hacer pajaritas de papel o jugar con migas de pan; también su peculiar manera de vestir que nos describe Esclasans (3): "Vestía a cuerpo en verano como en invierno. Jamás usó gabán. Poco a poco fue estilizando su indumentaria hasta convertirla en una especie de uniforme civil e intelectual. Vestía siempre de negro, con cuello postizo de tirilla blanca, sin corbata, con chaleco abotonado hasta el cuello, lo que le daba un aire severo de pastor anglicano. Cubría su cabeza con un sombrerete blando de ala estrecha, que le cabía en el bolsillo, y cuando iba de excursión tocaba su pelambrera rala con la boina de su *Vizcayita.* Bigote y barba, que un tiempo fueron de ébano se habían vuelto de plata y ceniza. Y una sonrisa incontenible, irónica, burlona, quemaba y roía las comisuras de sus labios, como un mordiente sutil y tenaz. No fumaba. No bebía. Sus dos grandes pasiones, después del leer, el escribir y el enseñar, fueron el monologar y el deambular."

Pero, en definitiva, su porte altivo, señorial y orgulloso era lo más saliente y lo que originó aquella poesía de Machado que tan bien lo describe:

Este donquijotesco
don Miguel de Unamuno, fuerte vasco,
lleva el arnés grotesco
y el irrisorio casco
del buen manchego. Don Miguel camina,
jinete de quimérica montura,
metiendo espuela de oro a su montura,
sin miedo de la lengua que malsina.

Esta expresión externa de su figura no es más que un índice, un insistente y claro reflejo de sus cualidades más entrañables. Entre ellas la primera que se apreciaba, la que más pronto se acusaba por los que le trataron, incluso por los que saben leer entre líneas lo más profundo de su persona, era una agresividad instintiva, natural, que dirigía también contra sí mismo. El lo reconoce: "una de las cosas que más antipático me hacen para con ellos (sus lectores) es mi

___

(3) AGUSTÍN DE ESCLASANS: *Miguel de Unamuno.* Buenos Aires, 1946.

agresividad, mi agresividad tal vez morbosa, no lo niego. Pero es, amigo, que esa agresividad va contra mí mismo, que cuando arremeto contra otros es que estoy arremetiendo contra mí mismo, es que vivo en lucha íntima" (4). Y más adelante: "esa acritud que tanto te desagrada en mis escritos la he acrecido ejercitándola contra mí mismo" (5).

Esa agresividad es probablemente causada por lo que en él hay de vasco ancestral, pues los vascos eran, según él, una "raza de luchadores" y "se me ha antojado más de una vez —nos dice— que nosotros no hemos nacido para elucubrar, sino para obrar, y que las tristezas que nos invaden a los vascongados que nos metemos a intelectuales son análogas a la morriña de un vigoroso cafre a quien le obligasen a ser telegrafista o escribiente" (6).

Ortega y Gasset, que ha reconocido este rasgo, lo califica de "espoleta de enorme dinamismo, de feroz dinamismo. Porque Unamuno era, como hombre, de un coraje sin límites. No había pelea nacional, lugar y escena de peligro, al medio de la cual no llevase el ornitorrinco de su yo, obligando a unos y a otra a oirle, y disparando golpes líricos contra los unos y contra los otros" (7).

La señal más clara de esa agresividad está en su constante predicación apasionada de una moral de la acción, de la lucha y de la guerra. La enuncia en bellas palabras al principio de su *Vida de don Quijote y Sancho,* en un tono elocuente que casi la confunde con una arenga militar: "¡Poneos en marcha! ¿Que adónde vais? La estrella os lo dirá: '¡Al sepulcro!' ¿Qué vamos a hacer en el camino mientras marchamos? ¿Qué? ¡Luchar! Luchar, y ¿cómo?"

"¿Cómo? ¿Tropezáis con uno que miente? Gritadle a la cara: '¡Mentira!', y ¡adelante! ¿Tropezáis con uno que roba? Gritadle: '¡Ladrón!', y ¡adelante! ¿Tropezáis con uno que dice tonterías y a quien oye toda una muchedumbre con la boca

(4) E., II, 567.
(5) Ibid., 570.
(6) Pío Baroja: *Vidas sombrías.* "Impresiones de lectura", por Miguel de Unamuno. Madrid, 1955, p. 192-3.
(7) J. Ortega y Gasset: *Obras completas.* Madrid, 1947; V, p. 262.

abierta? Gritadles: '¡Estúpidos!', y ¡adelante! !Adelante siempre!" (8).

Pues lo importante es "vivir en continuo vértigo pasional. dominados por una pasión cualquiera", ya que "sólo los apasionados llevan a cabo obras verdaderamente duraderas y fecundas" (9).

Es esta labor de pelea y combate la que le hace aparecer —según sus propias palabras— "unas veces impúdico e indecoroso; otras, duro y agresivo" (10), aunque —también él lo dice— "esta guerra que busco cual sustento de mi vida y de la vida de los demás es la guerra espiritual, no la guerra a tiros o a estocadas" (11).

Esta agresividad caracterológica, justificada por una "moral del combate espiritual", de la acción contra el prójimo, pues que de ella sale la más trágica hermandad, no logró conformar su mundo en torno a medida de sus deseos; se vio frustrada por un ambiente en que la vulgaridad de los que nada les interesa ni nada quieren saber "me acosa y aprieta el fondo de mi alma —dice don Miguel—, dolorida por las salpicaduras del fango de mentira en que chapoteamos, dolorida por los arañazos de la cobardía que nos envuelve" (12). Su agresividad es la agresividad característica del soñador, del intelectual, que al chocar con las realidades del mundo levanta en el fondo de nuestra alma los posos de resentimiento que allí duermen. Cuando nuestra lucha por el prójimo no es absolutamente desinteresada, empapada por la más noble generosidad, y no lo era así la de Unamuno como nos lo confiesa (13), nuestra alma se resiente de no encontrar el eco adecuado, de no hallar pago a nuestros desvelos; de esta acti-

---

(8)   E., II, 76-7.
(9)   Ibid., 80.
(10) Ibid., 373.
(11) Ibid., 568.
(12) Ibid., 74.
(13)   "Yo tengo mi lucha, y cada uno de nosotros tiene la suya. Y mi lucha no puedo asegurar que sea por el mejoramiento de la Humanidad. ¿La Humanidad?, y si luego resulta que de aquí a diez, a cien, a mil o a un millón de siglos, la Humanidad ha desaparecido sin dejar rastro alguno de sus ciencias, sus artes, sus industrias, ¿qué me importa eso?" (E., II, 567).

tud egoísta o mejor egocéntrica en la acción, brota y se nutre el resentimiento psicológico.

El hecho de que Unamuno se colocase en esa actitud como hemos visto y de que no encontrase el éxito apetecido —"quejándome de la vulgaridad, que es mi más constante queja" (14), nos dice—, hace adivinar, más que saber, lo que en él hay de resentido. Efectivamente, la actitud que hemos descrito nos lo hace sospechar: la frustración de toda agresividad produce siempre un precipitado de resentimiento, máxime si esta agresividad constituye una afirmación vigorosa y apasionada de la propia personalidad como en este caso. Nos hace abundar en la misma sospecha al hablarnos del resentimiento como "manantial inagotable de rebeldía, y la rebeldía manantial inagotable de la más alta conciencia espiritual" (15); apoya en esto Granjel su opinión en idéntico sentido, al decirnos (16): "¿Fue Unamuno un hombre resentido?; la pregunta, aunque no me atreva a contestarla categóricamente merece, creo, respuesta afirmativa." No es acaso resentimiento esa peculiar venganza que el intuitivo Baroja observa en los libros de Unamuno. Así nos dice: "Yo no tengo ningún motivo de antipatía personal contra Unamuno; pero cuando intento leer sus libros, pienso que son como una venganza contra algo que no sé lo que es"... "Muchas veces parece que están escritos para molestar al lector, y, no sólo al lector amanerado y rutinario, sino a todos" (17).

El resentimiento va normalmente unido a la envidia, de donde se deduce que, si ésta aparece constituirá una nueva prueba a favor de aquél. Sobre este viejo e hispánico sentimiento Unamuno nos ha dejado testimonios perennes, entre los que sobresale la que él llama "mi novela quirúrgica *Abel Sánchez*", en la que busca en los bajos fondos de una pasión terrible y ancestral: el odio entre hermanos, la envidia entre Caín y Abel. Para inspirarse, nos dice Unamuno, "ensayé en

---

(14)   E., II, 675.
(15)   OC., V, 265.
(16)   RU., 25.
(17)   Pío BAROJA: *Memorias,* III. Madrid, 1945; p. 197.

mí mismo la pluma-lanceta con que la escribí" (18); y así podemos creerlo después de leer estas líneas que escribe un comentarista suyo: "quién sabe si Unamuno no asoció al tema de Caín y a su obsesión por la envidia hispánica, algo más íntimo y secreto que había experimentado y sufrido en su propia vida, algo que sólo puede suponerse conociendo alguno de los detalles de la vida de don Miguel de Unamuno que un cierto pudor puede hoy hacer difícil desvelar: los eruditos del porvenir no podrán, sin embargo, pasar por alto la existencia de un hermano menor de don Miguel, Félix, farmacéutico sin botica, solterón un tanto raro, vecino de Bilbao hasta su fallecimiento, que conllevó mal la fama literaria y pública de la celebridad de la familia" (19).

La envidia, efectivamente, es un sentimiento demasiado patente en la larga obra de Unamuno, como para que no fuese vivido y experimentado hondamente. Junto a este episodio de la vida familiar, no hemos de desechar algo que debió tener gran importancia en su carrera literaria: las rivalidades y las rencillas entre contemporáneos, y muy principalmente la indiferencia de los que le rodeaban. Aquí entroncan sus diatribas constantes y furiosas contra la vulgaridad y la ramplonería ambiente.

"Nadie se queja —nos dice (20)— del mal de muelas ajeno, sino del suyo propio, y así, tampoco nadie se queja del mal de los siglos pasados, sino de aquél en que vive", y añade que no sabe lo que le hubiese pasado de haber vivido en otro país o en otro tiempo, "pero lo que sé es que nada me angustia hoy y aquí tanto como el espectáculo de la vulgaridad triunfante e insolente". Y todo ello lo achaca a envidia. "Esta, ésta —acusa (21)— es la terrible plaga de nuestras sociedades: ésta es la íntima gangrena del alma española." "Es la envidia, es la sangre de Caín —vuelve a insistir—, más que otra cosa,

---

(18)   OC., V, 266.
(19)   CARLOS CLAVERIA: *Temas de Unamuno*. Gredos. Madrid, 1953, p. 104.
(20)   E., II, 671-6.
(21)   Ibid., 407-14.

lo que nos ha hecho descontentadizos, insurrectos y belicosos."
"Somos colectivamente unos envidiosos."

Pero todavía profundiza más en su análisis y con ello Unamuno parece que nos habla de sí mismo al hablar de la sociedad en que vive: "Y este funesto cáncer de la envidia —dice— ha engendrado, por reacción, otra enfermedad, y es la manía persecutoria, la enfermedad del que se cree víctima"... "Bien sé —añade— que los más de esos genios incomprendidos que se creen víctimas de la hostil mediocridad del ambiente o de las maquinaciones de sus émulos, no pasan de ser unos pobres mentecatos; pero esa enfermedad de creerse perseguido responde a un cierto estado social de persecución efectiva."

La envidia en este caso surge por comparación con el nivel social en que vivimos y tiene su manantial en la vanidad o en el orgullo, es decir, en el sentimiento de la importancia de nuestro propio *ego,* actuando como acicate del afán de singularidad. Por esto dice Unamuno: "Una vez satisfecha el hambre, y ésta se satisface pronto, surge la vanidad, la necesidad —que lo es— de imponerse y sobrevivir en otros. El hombre suele entregar la vida por la bolsa; pero entrega la bolsa por la vanidad" (22).

El sentimiento de la vanidad está hondamente entrañado en su personalidad. Nos dice: "Al nombre se sacrifica, no ya la vida, la dicha. La vida, desde luego." Y exclama con el Rodrigo Arias de *Las mocedades del Cid*: "¡Muera yo, viva mi fama!" Más adelante: "Este erostratismo, ¿qué es en el fondo sino ansia de inmortalidad, ya que no de sustancia y bulto, al menos de nombre y sombra?" (23).

Sobre la estrecha relación entre este afán por singularizarnos y la envidia nos habla también con claridad: "Tremenda pasión esa de que nuestra memoria sobreviva por encima del olvido de los demás si es posible. De ella arranca la envidia, a la que se debe, según el relato bíblico, el crimen que abrió la historia humana. El asesinato de Abel por su hermano Caín. No fue lucha por pan, fue lucha por sobrevivir en Dios, en la

(22)   E., II, 776.
(23)   Ibid., 779.

7

memoria divina. La envidia es mil veces más terrible que el hambre, porque es hambre espiritual. Resuelto el que llamamos problema de la vida, del pan, convertiríase la Tierra en un infierno, por surgir con más fuerza la lucha por la sobrevivencia" (24). A este respecto, P. Jiménez Ilundaín, en una carta que escribe a su amigo Areilza, hablando de Unamuno, dice que es hombre perdido para la ciencia "mientras no se desprenda de la envidia y la egolatría que le tienen consumido" (25). Y es el testimonio de amigos que le conocían muy bien.

Evidentemente todos los rangos que hemos examinado hasta ahora en el carácter de Unamuno conducen al mismo resultado. Tanto la agresividad como el resentimiento y la envidia a que van unidos, son sentimientos que están referidos al yo. Carecen de altruismo, proceden del culto a la propia persona y en ese mismo culto acaban. La vanidad, la egolatría, el erostratismo, están en su base, y nos remiten a un sentido individualista y egóico de la vida.

Todo el carácter unamuniano gira en torno a este feroz egocentrismo. Los rasgos que hemos examinado inciden sin excepción sobre la importancia central y fundamental del *yo* en su psicología. Sobre ello han insistido los comentaristas de uno y otro estilo, tanto apologistas como detractores. Refiriéndose a esta actitud uno de sus críticos más ensañados la califica de "hiperestesia del yo, originada por intoxicación del éxito prematuro"; y añade: "esta estima o satisfacción de sí mismo es un sentimiento radical (selbst-gefühl o self-feeling); el amor a nosotros mismos nos lleva a la auto-contemplación (solipsismo) y de ésta a la autoexposición (exhibicionismo). Es el lógico afán de evidenciarse, aquel *etalage de soi,* propio de quien se siente, no de mérito —inferior siempre al ajeno subido valer—, sino de soberano mérito" (26).

Baroja y Ortega también están de acuerdo. Baroja dice en sus *Memorias:* "Creo que Unamuno tenía mucho de patológico

---

(24)   Ibid., 778.
(25)   Carta de P. Jiménez Ilundaín a E. Areilza. París, 1899.
(26)   QUINTILIANO SALDAÑA: *Miguel de Unamuno.* Madrid, 1919; p. 6.

en la cabeza, sobre todo un egotismo tan enorme que le aislaba del mundo, a pesar de que él creía lo contrario" (27). Ortega insiste con fuerza en la misma opinión: "No he conocido un yo más compacto y sólido que el de Unamuno. Cuando entraba en un sitio, instalaba desde luego en el centro su yo, como el señor feudal hincaba en medio del campo su pendón. Tomaba la palabra definitivamente. No cabía el diálogo con él... No había, pues, otro remedio que dedicarse a la pasividad y ponerse en corro en torno a don Miguel, que había soltado en medio de la habitación su yo, como si fuese un ornitorrinco" (28).

Esta actitud fundamental de Unamuno constituye el eje de su personalidad; sobre él se asienta su personalismo filosófico, su solipsismo gnoseológico, su quijotismo literario y, en definitiva, todas las características de su conducta vital y de sus concepciones ideológicas. El mismo no se muestra ruboroso de confesarlo en innumerables pasajes de sus obras. Así, comentando a don Quijote en "aquellas memorables palabras de 'no hay otro yo en el mundo', sentencia hermana melliza de '¡yo sé quien soy!' ".

"¡No hay otro yo en el mundo! —dice—. Cada cual de nosotros es absoluto. Si hay un Dios que ha hecho y conserva el mundo, lo ha hecho y conserva para mí. ¡No hay otro yo!... Yo soy algo enteramente nuevo; en mí se resume una eternidad de pasado y de mí arranca una eternidad de porvenir" (29).

También en el *Sentimiento* dice respecto a esta su posición fundamental: "Yo soy el centro de mi Universo, el centro del Universo, y en mis angustias supremas grito con Michelet: 'Mi yo, que me arrebatan mi yo' " (30).

Este rasgo del egocentrismo, a que nos remitían los caracteres psicológicos examinados, es, pues, reconocido por el mismo Unamuno. Su significación la iremos viendo a lo largo de esta obra; en principio podemos ya sospechar por el rasgo

(27)   BAROJA, loc. cit., p. 198.
(28)   ORTEGA, loc. cit., p. 262.
(29)   E., II, 340-1.
(30)   Ibid., 770.

anterior una alternancia ante el propio yo entre sentimientos
de orgullo o superioridad y sentimientos de nadería o inferioridad, es decir, entre la seguridad en nosotros mismos y la
inseguridad que nos proporciona la realidad con sus posibles
asechanzas al yo, a esa idea falsa y subjetiva de nuestro propio yo. Así dice Unamuno con perspicacia: "Y vuelven a mo-
lestarnos los oídos con el estribillo aquel de ¡orgullo!, ¡hedion-
do orgullo! ¿Orgullo querer dejar nombre imborrable? ¿Orgullo?... Ni eso es orgullo, sino terror a la nada. Tendemos a serlo
todo, por ver en ello el único remedio para no reducirnos a
nada" (31).

Y nosotros preguntamos: ¿Y es que no se da el orgullo
siempre que hay un cierto sentimiento de la propia nada?
Entonces no serían uno u otro, sino ambos en mutua inter-
acción componiendo la personalidad de Unamuno. Pero lo que
en esto haya de cierto sólo más adelante podrá saberse.

---

(31)   Ibid., 779-80.

II. LOS RASGOS ESENCIALES

1. *El quijotismo como ideal personalístico*

Los dos conflictos que vimos granar en los años de madurez de Unamuno —su conflicto externo entre el afán de fama y la necesidad religiosa y su conflicto interno entre la fe y la razón— permanecieron latentes durante mucho tiempo en su ánimo, aunque el segundo tratase de justificar, dignificar y, en cierta manera, ocultar el primero. Esta permanencia conflictual le obligó a tomar una determinación que solucionase, especialmente de un modo práctico, su problema.

La verdadera necesidad de don Miguel en los años subsiguientes a la floración de dichos conflictos fue crearse una ética activa, es decir, hallar una solución práctica a su problema, una moral de acción. La redacción de la *Vida de don Quijote y Sancho,* en 1905, responde a este anhelo profundo de los primeros años del siglo, que fueron también —¡y no es baldío el detalle!— los primeros de su rectorado.

El quijotismo es la compleja y rica doctrina que elabora en este libro y que ha de ser ya el manantial de donde brotarán las más arraigadas ideas de Unamuno en lo que toca a su concepción de la vida. Podemos, más aún, considerar este quijotismo, no sólo como la fuente de donde brotan sus doctrinas, sino también como el resumen y la conjunción de su "sistema" filosófico —problema aparte de si en Unamuno existe algo que pueda ser llamado tal—. Una prueba clara y significativa de esto es que la conclusión de su libro fundamental *Del sentimiento trágico de la vida* está toda ella dedicada a la figura de don Quijote. Allí dice: "¿Qué ha dejado a la cultura don Quijote? Y diré: ¡el quijotismo, y no es poco! Todo un método, toda una epistemología, toda una estética, toda una lógica, toda una ética, toda una religión sobre todo, es decir, toda una economía a lo eterno y lo divino, toda una esperanza en lo absurdo racional" (1).

Pero, incluso por encima de esto, el quijotismo es principalmente una fe y una moral, pues no en vano responde a esa necesidad de que habíamos hablado anteriormente, la necesidad que Unamuno sentía de hallar una norma para su conducta o, por lo menos, encontrar alguna justificación de esa continua contradicción y paradoja que era su vida. De este anhelo surge el quijotismo; en él recoge el afán de inmortalidad en sus dos aspectos de salvación eterna y de sobrevivir en la historia, dándole el carácter de un noble ideal práctico por el que vivir y luchar, de una moral de combate que constantemente hemos de poner en acción.

La significación de esta necesidad de justificar y explicar su conducta sólo se verá clara cuando hallamos expuesto el contenido y esencia del quijotismo. Sabemos que es un método, una epistemología, una estética, una lógica, una ética y una religión, toda una concepción del mundo. Pero, ¿cuál es su doctrina, cuál es su sustancia?

El punto de partida para toda esta concepción es —estamos en ello— el conflicto, la contradicción entre la razón y la fe, esa "tragedia íntima" que se nos aparece como "la expresión de una lucha entre lo que el mundo es según la razón de la ciencia nos lo muestra, y lo que queremos que sea, según la fe de nuestra religión nos lo dice" (2). La solución, el intento de ella, o por lo menos, la explicación y racionalización de este conflicto es lo que forma esa peculiar doctrina unamuniana que es el quijotismo. Y digo bien unamuniana, pues el *Quijote* es en ella el pretexto o motivo que le da nacimiento y nombre, pero no profunda realidad. Es Unamuno y lo que él piensa quien se expresa bajo ese nombre del quijotismo. El

(1)   E., II, 1018.
(2)   E., II, 1014.

mismo nos lo dice hablando de su *Vida de don Quijote y San-cho* y su "culto al quijotismo como religión nacional": "Escribí aquel libro —asegura— para repensar el *Quijote* contra cer-vantistas y eruditos, para hacer obra de vida de lo que era y sigue siendo para los más letra muerta. ¿Qué me importa lo que Cervantes quiso o no quiso poner allí y lo que realmente puso? Lo vivo es lo que yo allí descubro, pusiéralo o no Cer-vantes, lo que yo allí pongo y sobrepongo y sotopongo, y lo que ponemos allí todos" (3).

Y aclarado esto, en presencia del conflicto enunciado entre la actitud racional y la fideísta, nos habla de "Don Quijote en la tragicomedia europea contemporánea", es decir, de la dis-tinta posición que España y Europa han tomado ante el con-flicto. A esta distinta posición ha contribuido el divergente desarrollo histórico de ambas. Europa a través del Renaci-miento, la Reforma y la Revolución se ha descatolizado, "sus-tituyendo aquel ideal de una vida eterna, ultraterrena, por el ideal del progreso, de la razón, de la ciencia" (4). Europa se ha dejado fascinar por el progresismo, por la *Kultur-Kampf,* por lo racional, simbolizado por Helena —la Cultura rena-ciente—, que con sus besos le roban el alma; por eso el grito de Fausto, el Doctor, cuando después de haber besado a Hele-na, va a perderse para siempre, es: "¡Devuélveme el alma!" Pues "lo que queremos y necesitamos es alma, y alma de bulto y de sustancia" (5). Y eso es lo que tiene España y ella puede ofrecer, porque aquí se mantienen los ideales de la Edad Me-dia, "la fe en la inmortalidad del alma, en la finalidad huma-na del Universo" (p. 996) y "se me antoja —dice— que es medieval el alma de mi patria; que ha atravesado ésta, a la fuerza, por el Renacimiento, la Reforma y la Revolución, aprendiendo, sí, de ella, pero sin dejarse tocar el alma, con-servando la herencia espiritual de aquellos tiempos que lla-man caliginosos" (6).

---

(3) Ibíd., 1004.
(4) Ibid., 995.
(5) E., II, 997.
(6) Ibid., 1015.

En palabras quizá más sencillas, Europa se ha inclinado decididamente de parte de la razón y de la ciencia, abandonando la fe, el alma y la religión en lo que tiene de más propio, la inmortalidad del alma, finalidad final de la vida, que a la postre es el verdadero *ōntos ōn* - la realidad de las realidades (7); en España, por el contrario, sin rechazar en absoluto la razón, nos atenemos todavía a la fe, a la necesidad de salvar en Dios nuestra inmortalidad y, por ello, grita Unamuno: "¿Que no tenemos espíritu ciéntífico? ¿Y qué, si tenemos algún espíritu? ¿Y se sabe si el que tenemos es o no compatible con ese otro?" Y exclama su célebre "¡Que inventen ellos!", pero no porque "hayamos de contentarnos con un papel pasivo, no. Ellos a la ciencia de que nos aprovecharemos; nosotros a lo nuestro. No basta defenderse, hay que atacar" (8).

En España, por ello, surge y se expresa ese conflicto trágico entre la razón y la fe, que hace vivir a los hombres y a los pueblos en continua agonía, ese conflicto que es el último fondo del quijotismo filosófico y hace de éste "filosofía española", esa filosofía en que "está el secreto de eso que suele decirse de que somos en el fondo irreductibles a la cultura, es decir, que no nos resignamos a ella", pues dice Unamuno: "Aparéceseme la filosofía en el alma de mi pueblo como la expresión de una tragedia del alma de don Quijote, como —repetimos— la expresión de una lucha entre lo que el mun-

---

(7)   Ibid., 996.
(8)   Y también dice muy explícitamente: "No ha mucho hubo quien hizo como que se escandalizaba de que, respondiendo yo a los que nos reprochaban a los españoles nuestra incapacidad científica, dijese, después de hacer observar que la luz eléctrica luce aquí, y corre aquí la locomotora tan bien como donde se inventaron, y nos servimos de los logaritmos como en el país donde fueron ideados, aquello de '¡que inventen ellos!' Expresión paradógica a la que no renuncio. Los españoles deberíamos apropiarnos no poco de aquellos sabios consejos que a los rusos, nuestros semejantes, dirigió el conde José de Maistre en aquellas sus admirables cartas al conde Rasonmowski sobre la educación pública en Rusia, cuando le decía que no por no estar hecha para la ciencia debe una nación estimarse menos; que los romanos no entendieron de artes ni tuvieron un matemático, lo que no les impidió hacer su papel, y todo lo que añadía sobre esa muchedumbre de semisabios falsos y orgullosos, idólatras de los gustos, las modas y las lenguas extranjeras, y siempre dispuestos a derribar cuanto desprecian, que es todo" (E., II, 1001).

do es según la razón de la ciencia nos lo muestra, y lo que queremos que sea, según la fe de nuestra religión nos lo dice." Y "en mantener esa lucha entre el corazón y la cabeza, entre el sentimiento y la inteligencia, y que aquél diga ¡sí! mientras éste dice ¡no! y ¡no! cuando la otra ¡sí! en esto y no en ponerlos de acuerdo consiste la fe fecunda y salvadora" (9), pues la que no es "fe de carbonero, ni menos fe de barbero, descansadora en ocho reales", "la fe verdadera y viva, es fe que se alimenta de dudas. Porque sólo los que dudan creen de verdad. La verdadera fe se mantiene de la duda; de dudas, que son su pábulo, se nutre y se conquista a cada instante, lo mismo que la verdadera vida se mantiene de la muerte y se renueva segundo a segundo, siendo una creación continua" (10).

Y en esta fe alimentada por la duda, en esta fe que ha de estar continuamente ganando terreno a la razón consiste la filosofía española, el quijotismo. Pues la esencia de la fe consiste en ser una creación continua que se sobrepone a la duda de la razón, al mundo fenoménico y aparencial de los sentidos, a la materia y a la ciencia, a lo experimental, para penetrar imaginativamente, por la fantasía o la mitología en un mundo nouménico, real, donde el alma y la religión crean el reino de lo espiritual puro. Porque la fe es creadora y su actividad propia es "crear lo que no vemos", frente a la definición del catecismo de "creer lo que no vimos". "Crear lo que no vemos, sí, crearlo y vivirlo, y consumirlo de nuevo viviéndolo otra vez, para otra vez crearlo..., y así, en incesante tormento vital. Esto es fe viva, porque la vida es continua oración y consunción continua; es, por tanto, muerte incesante" (11).

Es en esta concepción de la fe, concepción pragmatista, sentimental y voluntarista, donde se asienta toda la epistemología del quijotismo, "la íntima esencia del quijotismo en cuanto doctrina del conocimiento", que expone Unamuno en su comentario a los "sabrosos razonamientos entre don Qui-

---

(9)   E., II, 225.
(10)   Ibid., 224.
(11)   E., I, 259.

jote y Sancho acerca del encuentro de éste con Dulcinea", en el capítulo XXXI de su obra. "A las mentiras de Sancho —nos dice este nuevo y genial don Miguel— fingiendo sucesos según la conformidad de la vida vulgar y aparencial, respondían las altas verdades de la fe de don Quijote, basadas en la vida fundamental y honda." Y todavía añade más: "No es la inteligencia, sino la voluntad la que nos hace el mundo, y al viejo aforismo escolástico de *nihil volitum quin praecognitum,* nada se quiere sin haberlo antes conocido, hay que corregirlo con un *nihil cognitum quin praevolitum,* nada se conoce sin haberlo antes querido.

> Que en este mundo traidor
> nada es verdad ni es mentira:
> todo es según el color
> del cristal con que se mira.

como dijo nuestro Campoamor. Lo cual ha de corregirse también diciendo que en este mundo todo es verdad y es mentira todo. Todo es verdad en cuanto alimenta generosos anhelos y pare obras fecundas; todo es mentira mientras ahogue los impulsos nobles y aborte monstruos estériles. Por sus frutos conoceréis a los hombres y a las cosas. Toda creencia que lleva a obras de vida es creencia de verdad, y lo es de mentira la que lleve a obras de muerte. La vida es el criterio de la verdad y no la concordia lógica, que lo es sólo de la razón. Si mi fe me lleva a crear o aumentar vida, ¿para qué queréis más prueba de mi fe? Cuando los matemáticos matan son mentira las matemáticas. Si caminando moribundo de sed ves una visión de eso que llamamos agua y te abalanzas a ella y bebes y aplacándote la sed te resucita, aquella visión lo era verdaderamente y el agua de verdad. Verdad es lo que moviéndonos a obrar de un modo o de otro haría que cubriese nuestro resultado a nuestro propósito" (12).

Se trata aquí, como vemos, de un pragmatismo, pero de un pragmatismo voluntarista, ya que descansa en la voluntad. Y ésta tiende a convertirse en absoluta, retrotrayendo el fon-

---

(12)   E., II, 181.

do de todo conocimiento a nuestro propio yo, la conciencia
que alcanzamos de nosotros mismos. Si la voluntad no acaba
de hacerse absoluta es por la limitación que sobre ella ejercen
los demás seres. De esta limitación surge la conciencia de sí
mismo. "Tener conciencia de sí mismo, tener personalidad
—dice Unamuno— es saber y sentirse distinto de los demás
seres, y a esta distinción sólo se llega por el choque, por el
dolor más o menos grande, por la sensación del propio límite.
La conciencia de sí mismo no es sino la conciencia de la propia limitación" (13). Es decir, la conciencia surge en nosotros
por el dolor que infringen a nuestra voluntad expansiva las
demás voluntades también en expansión. (La influencia de
Schopenhauer sobre Unamuno está presente aquí, como es
perceptible. Véase E, II, 862.)

Y de esta conciencia o sentimiento que tenemos del propio
yo nace el conocimiento que tenemos del mundo. "La creación
toda —puede decir Unamuno (14)— es algo que hemos de perder un día o que un día ha de perdernos, pues ¿qué otra cosa
es desvanecernos del mundo, sino desvanecerse el mundo de
nosotros? ¿Te puedes concebir cómo no existiendo? Inténtalo;
concentra tu imaginación en ello y figúrate a ti mismo sin ver,
ni oir, ni tocar, ni recordar nada; inténtalo, y acaso llames y
traigas a ti esa angustia que nos visita cuando menos lo esperamos"... "Y verás que el mundo es tu creación, no tu representación como decía el tudesco. A fuerza de ese supremo
trabajo de congoja conquistarás la verdad que no es, no, el
reflejo del Universo en la mente, sino su asiento en el corazón.
La congoja del espíritu es la puerta de la verdad sustancial.
Sufre, para que creas y creyendo vivas. Frente a todas las
negaciones de la *lógica,* que rige las relaciones aparenciales
de las cosas, se alza la afirmación de la *cardíaca,* que rige los
toques sustanciales de ellas. Aunque tu cabeza diga que se
te ha de derretir la conciencia un día, tu corazón, despertado
y alumbrado por la congoja infinita, te enseñará que hay un

(13)   Ibid., 885.
(14)   Ibid., 299.

mundo en que la razón no es guía. La verdad es lo que hace vivir, no lo que hace pensar."

Podemos, por tanto, resumir y concluir con Serrano Poncela que "la única realidad sustancial viene a ser la realidad del *yo* en su inquietante singularismo" (15). Esta afirmación del yo como fundamento, no sólo del conocimiento, sino de toda actividad humana es lo que da a la filosofía de Unamuno, al quijotismo filosófico, su carácter personalista.

Este personalismo que, como más adelante veremos, es el punto de partida de toda su concepción del mundo, da también a la fe un carácter individual de confianza en una persona. Unamuno necesita una encarnación personal de su ideal, pues "la fe, la garantía de lo que se espera, es, más que adhesión racional a un principio teórico, confianza en la persona que nos asegura algo. La fe supone un elemento personal objetivo. Más bien que creemos algo, creemos a alguien que nos promete o asegura esto o lo otro" (16). En el otro libro que comentamos, siete años anterior, nos confirma lo mismo: "Y fe, amigo Sancho, es adhesión, no a una teoría, no a una idea, sino a algo vivo, a un hombre real o ideal, facultad de admirar y de confiar. Y tú, Sancho fiel, crees en un loco y en su locura, y si te quedas a solas con tu cordura de antes, ¿quién te librará del miedo que te ha de acometer al verte solo con ella ahora que gustaste de la locura quijotesca? Por eso pides a tu amo y señor que no se aparte de ti" (17).

Efectivamente, no podía ser otro que don Quijote quien encarna ese ideal filosófico del quijotismo, pues junto a este quijotismo filosófico existe —es el mismo Unamuno quien nos lo confiesa— una filosofía quijotesca. "Más donde acaso hemos de ir a buscar al héroe de nuestro pensamiento no es a ningún filósofo que viviera en carne y hueso, sino a un ente de ficción y de acción, más real que los filósofos todos; es a don Quijote" (18). Un poco más adelante se pregunta junto al lector:

(15)   PU., 257.
(16)   E., II, 898.
(17)   Ibid., 163.
(18)   Ibid., 1008.

"Y ¿qué ha dejado don Quijote?, diréis. Y os diré que se ha dejado a sí mismo y que un hombre, un hombre vivo y eterno, vale por todas las teorías y por todas las filosofías. Otros pueblos nos han dejado sobre todo instituciones, libros; nosotros hemos dejado almas. Santa Teresa vale por cualquier instituto, por cualquier *Crítica de la razón pura*" (19).

Pero todavía seguimos preguntándonos más y en nuestro afán de ahondar deseamos saber cuál es el doctrinario de esa filosofía quijotesca, cuál es el contenido de esa encarnación personal de nuestra fe, qué cualidades exhornan la figura de don Quijote. Uno de los comentaristas nos dice que en "Don Quijote de la Mancha, sobresale en primer lugar su fe, hija de la gloria y un hambre insaciable de inmortalidad. Esta fe no tiene una base racional como la católica, sino que es mero impulso del sentimiento que apetece ciegamente ser para siempre después de la muerte. Como virtudes secundarias aureolan la heroica fe de don Quijote una grave austeridad en su manera de pensar y conducirse, una pueril ingenuidad ante la doblez de los mundanos, una insobornable sinceridad y un temple de acero para soportar imperturbable todas las circunstancias adversas inherentes a su noble profesión de caballero andante" (20).

Serrano Poncela, con más precisión, trata de aquilatar las líneas de pensamiento que inciden sobre el quijotesco programa de acción, sobre su moral. En este intento fija su atención sobre tres constantes de la conducta de don Quijote que se interfieren continuamente; esta interferencia hace que pueda hablar de una moral ecléctica, en la que se deslindan claramente tres ingredientes: cristianismo, en cuanto trata de conseguir una inmortalidad personal y Cristo aparece como encarnación ejemplar y simbólica de ella; pragmatismo, en cuanto considera verdad todo lo que produce vida y no la concordancia lógica; racionalismo, en cuanto acepta al hombre como centro de la concepción de la vida y del Universo. Establece un parangón entre la moral quijotesca y la del "superhombre"

---

(19)   E., II, 1016.
(20)   UTI., 207.

de Nietzsche y extrae como principio normativo de ella el siguiente: "Obra con arreglo a tu conciencia, sometida a la lección de Cristo, en beneficio siempre de tu inmortalidad" (21).

Sin necesidad de aquilatar tanto como estos críticos, pues ni el mismo Unamuno lo hace, podemos resumir la moral quijotesca en una orientación general hacia el combate espiritual. Otra cosa sería ser infiel a su pensamiento cuando hablándonos "de ir a rescatar el sepulcro de don Quijote del poder de los bachilleres, curas, barberos, duques y canónigos, que lo tienen ocupado", dice refiriéndose a éstos: "No importa que te pidan infulas; lo que tienes que hacer es expulsarlos en cuanto te pidan el itinerario de la marcha, en cuanto te hablen del programa, en cuanto te pregunten al oído, maliciosamente, que les digas hacia dónde cae el sepulcro. Sigue a la estrella. Y haz como el Caballero: endereza el entuerto que se te ponga delante. Ahora lo de ahora y aquí lo de aquí" (22). Se trata de una moral que carece de plan, que no tiene programa, pues se asienta sobre los impulsos del corazón y en ella sólo se atiende a los ideales que nos mueven.

Estos ideales se hallan refundidos en la figura de Dulcinea. "¿Hay una filosofía española, mi don Quijote? —se pregunta Unamuno—. Sí, la tuya, la filosofía de Dulcinea, la de no morir, la de creer, la de crear la verdad" (23). "Dulcinea es —dice Serrano Poncela—, sobre todo, perenne testigo del esforzado varón en sus más insólitas hazañas. Y a ella van dirigidos, los despojos, las oraciones, los lamentos; de ella se desprende la fuerza estimulante, el refrigerio espiritual, el consuelo tras la derrota" (24). También aparece esto claro en la historia en un párrafo revelador: "Si no fuese por el valor que infundía Dulcinea en su pecho, no le tendría para matar un pulga, pues no era el valor suyo, sino el de Dulcinea, el que tomando a su brazo por instrumento de sus hazañas, llevaba éstas a feliz término. Y así es verdad que cuando vence-

---

(21)   PU., 258.
(22)   E., II, 76.
(23)   Ibid., 332.
(24)   PU., 262.

mos es la gloria que por nosotros vence. Ella pelea en mí y vence en mí, y yo vivo y respiro en ella y tengo vida y ser" (25).

No cabe duda. Es la inmortalidad del nombre y de la fama lo que efectivamente buscaba don Quijote. Así nos puede decir Unamuno: "En esto de cobrar eterno nombre y fama estribaba lo más de su negocio; en ello el aumento de su honra, primero, y el servicio de su república, después" (26). Nos lo recuerda también a su vez en el *Sentimiento trágico*: "¿Por qué peleó don Quijote? Por Dulcinea, por la gloria, por vivir, por sobrevivir" (27). Es decir, por la inmortalidad, pues toda vida heroica o santa corrió siempre en pos de gloria, temporal o eterna, terrena o celestial. "Y en cabo de cuentas, ¿qué buscaban unos y otros, héroes y santos, sino sobrevivir, que no a otra cosa viene a reducirse lo que dicen ser nuestro culto a la muerte? No, culto a la muerte, no; sino culto a la inmortalidad" (28).

El mismo Sancho que tan apegado parece a la vida que pasa y no queda, declaraba que "más vale ser humilde frailecito de cualquier orden que sea, que valiente andante caballero", a lo que le contestó muy sesudamente don Quijote que "no todos podemos ser frailes y muchos son los caminos por donde lleva Dios a los suyos al cielo" (29).

A través de estos textos descubrimos cómo don Quijote había sustituido la inmortalidad personal en el otro mundo por la sobrevivencia histórica en el presente, por el anhelo de gloria, el afán de eterno nombre y fama. Con ello se nos hace patente la solución práctica que el mismo Unamuno había dado a su conflicto.

Lo reconoce cuando asegura que "la sed de vida eterna apáganla muchos, los sencillos sobre todo, en la fuente de la fe religiosa; pero no a todos nos es dado beber de ella" (30).

(25)   E., II, 177.
(26)   Ibid., 88.
(27)   Ibid., 1018.
(28)   Ibid., 221.
(29)   E., II, 221.
(30)   Ibid., 780.

Nos lo dice también en otro lugar: "Cuando las dudas nos invaden y nublan la fe en la inmortalidad del alma, cobra brío y doloroso empuje el ansia de perpetuar el nombre y la fama, de alcanzar una sombra de inmortalidad siquiera. Y de aquí esa tremenda lucha por singularizarse, por sobrevivir de algún modo en la memoria de los otros y los venideros, esa lucha mil veces más terrible que la lucha por la vida, y que da tono, calor y carácter a nuestra sociedad, en que la fe medieval en en el alma inmortal se desvanece" (31).

Y ¿qué otra sino ésta era la lucha de don Quijote? Y ¿cuál sino éste es el ideal del quijotismo? Con toda esa hábil y poética doctrina Unamuno no quería otra cosa que enmascarar su afán de sobresalir, el instinto de su vanidad insatisfecha, idealizando así su actuación pública e intelectual. Por ello hace de don Quijote el ideal personalístico de su conducta, el *super-ego* que le guía en todos los trances de la vida; y de aquí arranca su importancia en la totalidad de la personalidad unamuniana.

Se nos aparece con claridad esto hasta en los menores detalles. No debe pasarnos desapercibido un cierto parecido físico entre la figura de don Quijote y la de don Miguel, probablemente buscada y querida por este último. Los actos de su vida pública lo recuerdan continuamente, como aquella rebelión contra la Dictadura de Primo de Rivera, su actitud en los años de la República y los principios del Movimiento Nacional, pero sobre todo el giro guerrero y apostólico que dio a su Rectorado. El parecido físico se prolonga así en un parentesco espiritual, que impulsó a José A. Balseiro a llamarle "el don Quijote de la España contemporánea" y que da vigor a aquella sentencia suya: "el *Quijote* se escribió para que yo lo comentara".

En esta línea Unamuno es una encarnación del otro don Quijote, el que se quedó aquí entre nosotros, luchando a la desesperada, el real, el que no se convirtió al morir y se quedó y vive entre nosotros alentándonos con su aliento, animándonos a que nos pongamos en ridículo. Pues efectivamente la

(31)   Ibid., 776.

figura quijotesca desempeña en él el papel de un ideal de la personalidad, un auténtico *super-ego,* ejemplo y acicate en su acción diaria, meta a la que nunca se llega, pero que inspira sus decisiones más hondas y constituye ese haz de aspiraciones que es siempre un ideal personalístico. Sin embargo, como ocurre con todo *super-ego,* no encara el estrato más hondo y problemático de su personalidad; queda en la superficie como pantalla o fachada, especie de "máscara" que oculta la verdadera realidad.

2. *La actitud ante el amor*

El pensamiento sobre el amor es siempre índice de nuestra actitud total hacia la vida. Por eso resulta especialmente revelador siempre que queramos entrar en las profundidades de un alma o de una conducta. En el caso de Unamuno observaremos la radical importancia que esto tiene y las provechosas aclaraciones que nos traerá.

El amor —"lo más trágico que en el mundo y en la vida hay"— tiende siempre a la perpetuación. Por ello el origen y el parangón de todo amor es el "amor sexual, el amor entre hombre y mujer para perpetuar el linaje humano sobre la Tierra". "En el amor y por él buscamos perpetuarnos y sólo nos perpetuamos sobre la Tierra a condición de morir, de entregar a otros nuestra vida. Los más humildes animalitos, los vivientes infinitos, se multiplican dividiéndose, partiéndose, dejando de ser el uno que antes eran" (32).

La hermandad entre el amor y la muerte, tan cantada por los poetas de todos los tiempos, tiene un carácter físico, hasta biológico. "Porque lo que perpetúan los amantes sobre la Tierra —dice Unamuno— es la carne del dolor, es el dolor, es la muerte. El amor es hermano, hijo y a la vez padre de la muerte, que es su hermana, su madre y su hija" (33).

Y hablando del mismo acto sexual también nos sugiere un parentesco entre ambos, al indicar que "acaso el supremo de-

(32)   E., II, 849.
(33)   Ibid., 850.

leite del engendrar no es sino un anticipado gustar la muerte, el desgarramiento de la propia esencia vital. Nos unimos a otro, pero es para partirnos; ese más íntimo abrazo no es sino un más íntimo desgarramiento. En su fondo, el deleite amoroso sexual, el espasmo genésico, es una sensación de resurrección, de resucitar en otro, porque sólo en otros podemos resucitar para perpetuarnos" (34).

En definitiva, vemos, de lo que se trata es de perpetuarnos. Por ello no es extraño que la religión más profunda condene el amor carnal exaltando la virginidad. La avaricia, fuente de todos los pecados, consiste en tomar los medios como fines. Así ocurre con el rico que toma la riqueza como un fin y no como un medio, así ocurre también con el amor carnal que toma por fin el goce, que es sólo un medio, y no la perpetuación, que es el verdadero fin. ¿Qué es eso sino avaricia? —se pregunta Unamuno—. Y añade: "Y es posible que haya quien para mejor perpetuarse guarde su virginidad. Y para perpetuar algo más humano que la carne" (35).

Pero, elijamos uno u otro camino, el fin es perpetuarnos. Y ello no es sino muestra del sentido hondamente egoísta de esta clase de amor. Sin duda, el amor es un egoísmo mutuo, en que "cada uno de los amantes busca poseer al otro y buscando mediante él, sin entonces pensarlo ni proponérselo, su propia perpetuación, busca consiguientemente su goce. Cada uno de los amantes es un instrumento de goce inmediatamente y de perpetuación mediatamente para el otro. Y así son tiranos y esclavos; cada uno de ellos tirano y esclavo a la vez del otro" (36).

Aún existe otra clase de amor, el amor espiritual, engendrado sobre la base del sexual. El amor espiritual, "nace del dolor, nace de la muerte del amor carnal" (37). "Porque los hombres sólo se aman con amor espiritual cuando han sufrido juntos un mismo dolor, cuando araron durante algún tiempo la tierra pedregosa uncidos al mismo yugo de un dolor común.

(34)   Ibid., 849.
(35)   E., II, 850.
(36)   Ibid.
(37)   Ibid.

Entonces se conocieron y se sintieron, y se consintieron en su común miseria, se compadecieron y se amaron. Porque amar es compadecer, y si a los cuerpos les une el goce, úneles a las almas la pena" (38). En este tipo de amor sobresale siempre la mujer, pues "el amor maternal, ¿qué es sino compasión al débil, al desvalido, al pobre niño inerme que necesita de la leche y del regazo de la madre? Y en la mujer todo amor es maternal." Y más adelante: "La mujer se rinde al amante porque le siente sufrir con el deseo. Isabel compadeció a Lorenzo, Julieta a Romero, Francisca a Pablo. La mujer parece decir: '¡Ven, pobrecito, y no sufras tanto por mi causa!' Y por eso su amor es más amoroso y más puro que el del hombre, y más valiente y más largo" (39).

Este amor espiritual está, por tanto, basado en la compasión. "Amar en espíritu —dice— es compadecer, y quien más compadece más ama. Los hombres encendidos en ardiente caridad hacia sus prójimos, es porque llegaron al fondo de su propia miseria, de su propia aparencialidad, de su nadería, y volviendo luego sus ojos, así abiertos, hacia sus semejantes, los vieron también miserables, aparenciales, anonadables, y los compadecieron y los amaron." Más adelante concluye: "La compasión es, pues, la esencia del amor espiritual humano, del amor que tiene conciencia de serlo, del amor que no es puramente animal, del amor, en fin, de una persona racional. El amor compadece, y compadece más cuanto más ama" (40).

Esta clase de amor también tiene su raíz en el yo, en éste alcanza su origen y su fin, pues si logramos amar a los semejantes es por una identificación con nosotros mismos, con nuestra miseria y nuestra aparencialidad. Aunque no se trate de egoísmo propiamente dicho se trata, al menos, de egocentrismo. Unamuno lo reconoce: "El amor espiritual a sí mismo, la compasión que uno cobra para consigo, podrá acaso llamarse egotismo, pero es lo más opuesto que hay al egoísmo vulgar" (41). Egoísmo o egotismo, el hecho es que tiene la raíz

(38) Ibid., 851.
(39) Ibid., 852.
(40) Ibid., 853.
(41) E., II, 853.

en la propia persona, en el yo y en él acaba también, pues aunque se dirija a los demás prójimos, aunque "pase a compadecer, esto es, a amar a todos sus semejantes y hermanos en aparencialidad", la verdad es que lo hace como una proyección del propio yo y no como un salto o instalación en el yo de los demás.

En definitiva, pues, tanto el amor sexual o carnal como el espiritual, doloroso o compasivo, son egocéntricos en Unamuno. En lo que se refiere al primero no cabe duda y él mismo le ha llamado egoísta, "trágicamente destructivo", lucha en que los seres que copulan "al abrazarse se odian tanto como se aman" y no tiene sentido entonces el que haya especies de animales en "que al unirse el macho a la hembra la maltrate, y otras en que la hembra devore al macho luego que éste la haya fecundado" (42); de los amantes ya vimos que decía que "cada uno de ellos era a la vez tirano y esclavo del otro".

En esta línea se haya su problemática en torno al instinto de perpetuación, eje de su filosofía y de sus novelas, en una inmensa mayoría de las cuales juega éste el papel más importante. Recordemos *La tía Tula, Dos madres, El marqués de Lumbría,* donde este instinto se convierte en una fuerza cósmica que avasalla a todo lo demás, trastocando por completo la realidad y el orden social. Las dos primeras son las más representativas. En *Dos madres,* la protagonista, Raquel, viuda estéril, logra convencer a su amante, con toda clase de razones, para que se case con una amiga de ambos con el exclusivo objeto de obtener de ella un hijo del que se apodera, con repugnante astucia, adoptándolo como suyo. En la otra novela, Tula, soltera, puro instinto de maternidad, se convierte en la madre espiritual, la tía-madre, de los hijos de su hermana y de los que tuvo su cuñado después de muerta aquélla con una criada, por el deseo exclusivo de mantener una ejemplar e inútil virginidad, con lo que convierte su vida en un doloroso y escondido albañal.

No es necesario seguir insistiendo para darse cuenta del terrible egoísmo que anida en todo amor puramente carnal,

---

(42)   Ibid., 849-50.

pero en lo que se refiere al amor espiritual tampoco la duda
es grande; si Unamuno lo llama egotista nosotros creemos más
apropiado el nombre de egocentrismo. La compasión que está
en su base, es un sentimiento egocéntrico, dirigido primariamente hacia nosotros mismos y luego por semejanza o comparación proyectamos sobre los demás.

Todas las ideas de don Miguel sobre el amor entre hombre
y mujer quedan ya determinadas por este punto de partida;
de él deriva la consideración del amor como costumbre:

y en esta lucha cruel contra el mal intruso
eres tú, Concha mía, mi costumbre.

(FP, 52)

Y también con otras palabras en la boca de uno de los
protagonistas de su novela *La tía Tula:* "Eso de amor —de-
cíase Ramiro ahora— sabe a libros, sólo en el teatro y en las
novelas se oye el *yo te amo*; en la vida de carne, sangre y
hueso el entrañable *¡te quiero!* y el más entrañable aún ca-
llárselo. ¿Amor? No, ni cariño siquiera, sino algo sin nombre y que no se dice por confundirse ello con la vida misma" (43).

Pero nada más lejos del amor que la costumbre; sentimiento siempre renovador, que despierta en nosotros y en
la persona amada el descubrimiento y la realización de posibilidades antes no vislumbradas, y también el deseo y el acicate de una mayor perfección; esta actitud proviene de considerar el amor como compasión, es decir, como proyección.
El verdadero amor es más· metafísico, "lleva a cabo —dice
Frankl (44)— una obra cabalmente metafísica"; y es precisamente el único sentimiento, junto quizá con el odio, que
no constituye una proyección, sino algo nuevo: una trascendencia.

Esta trascendencia, implantación y arraigo de nuestro ser
en el de la persona amada, es lo que le da su constitutivo metafísico, pues merced a ella, nos dirigimos a lo que el ser ama-

---

(43)   TT., 54.
(44)   V. E. FRANKL: *Psicoanálisis y Existencialismo.* México, 1952;
p. 193.

do tiene de único e irrepetible, a su ser espiritual más íntimo y con ello hacemos posible la visión y anticipación de valores c, en los términos de von Hattingen, el amor ve al hombre tal como Dios lo ha pensado. "Uno de los misterios metafísicos del acto espiritual que llamamos amor es, precisamente que, en él, podemos descrifrar la imagen del valor del ser amado, partiendo de los rasgos de su imagen esencial". Pero en el sentimiento de compasión, que es el motivo que inspira el amor espiritual de Unamuno, no existe la trascendencia metafísica, ni por tanto esa anticipación de valores; queda en el plano de la psicología y dentro de ella como una proyección, esto es, como un sentimiento egocéntrico.

Existe, por último, una tercera clase de amor en Unamuno. Es el amor universal, mediante el cual extendemos la compasión, que el amor espiritual dirigía a todos los hombres, a toda cosa viviente. "Descendiendo desde nosotros mismos —dice Unamuno (45)— desde la propia conciencia humana, que es lo único que sentimos por dentro y en el que el sentirse se identifica con el serse, suponemos que tienen alguna conciencia más o menos oscura todos los vivientes y las rocas mismas que también viven. Y la evolución de los seres orgánicos no es sino la lucha por la plenitud de conciencia a través del dolor, una constante aspiración a ser otros sin dejar de ser lo que son, a romper sus límites limitándose".

Se trata como vemos de un "proceso de personalización o de subjetivación de todo lo externo, fenoménico u objetivo" (46), por extensión o proyección de nuestra conciencia sobre las demás cosas. "Si llego a compadecer y a amar a la pobre estrella que desaparecerá del cielo un día, es porque el amor, la compasión, me hace sentir en ella una conciencia más o menos oscura, que la hace sufrir por no ser más que estrella, y por tener que dejarlo de ser un día" (47).

El punto de partida de este amor universal es la conciencia a la que sólo se llega por el dolor. Pero "el dolor es el

(45)   E., II, 856-7.
(46)   Ibid., 857.
(47)   Ibid., 854.

camino de la conciencia, y es por él como los seres vivos llegan a tener conciencia de sí. Porque tener conciencia de sí mismo, tener personalidad, es saber y sentirse distinto de los demás seres, y a sentir esta distinción sólo se llega por el choque, por el dolor más o menos grande, por la sensación del propio límite. La conciencia de sí mismo no es sino la conciencia de la propia limitación. Me siento yo mismo al sentirme que no soy los demás" (48). Por esta conciencia llegamos a la compasión y al amor de todo, personalizándolo. pues "conciencia, *conscientia,* es conocimiento participado, con-sentimiento, y con-sentir es com-padecer" (49). En definitiva, "el amor personaliza cuanto ama. Y cuando el amor es tan grande y tan vivo, tan fuerte y tan desbordante que lo ama todo, entonces lo personaliza todo y descubre que el total Todo, que el Universo, es Persona también, que tiene una conciencia. Conciencia que a su vez sufre, compadece y ama; es decir, es conciencia. Y a esta conciencia del Universo que el amor descubre personalizando cuanto ama, es a lo que llamamos Dios". "Dios es, pues, la personalización del Todo, es la Conciencia eterna e infinita del Universo" (50), porque el concepto de Dios brota del sentimiento de Dios en el hombre, que es "la eterna protesta de la vida contra la razón, el nunca vencido instinto de personalización" (51).

En esto termina la doctrina unamuniana del amor, en un personalismo, en una personalización del Todo, del Universo, pues la fantasía o mitología, el método de Unamuno, "anima lo inanimado y lo antropomorfiza todo; todo lo humaniza y aún humana" (52). Y esta personalización del Universo por el amor, por la compasión, "es la de una persona que abarca y encierra en sí a las demás personas que la componen" (53), es decir, Dios. Este Dios creído y creado, surge en nosotros por el anhelo de salvar el Universo, la conciencia, de la nada.

---

(48) Ibid., 855.
(49) Ibid., 854.
(50) E., II, 855.
(51) Ibid., 859.
(52) Ibid., 865.
(53) Ibid., 866.

"Necesitamos a Dios —dice— para salvar la conciencia; no para pensar la existencia, sino para vivirla; no para saber por qué y cómo es, sino para sentir qué es. El amor es un contrasentido si no hay Dios" (54).

En resumidas cuentas, su pensamiento sobre el amor acaba en el mismo personalismo que observamos en su quijotismo. Pero aquí este personalismo se hace, o trata de hacerse, trascendente; su fin es Dios. Pero Dios entendido como una proyección de la conciencia, del yo. Si sigue existiendo aquí el egocentrismo que analizamos en las otras clases de amor, parece evidente. Con ello hemos puesto de manifiesto desde otro ángulo uno de los rasgos constantes de su psicología.

3. La constante religiosa

La preocupación por el tema religioso es central en la vida y en la obra de don Miguel. Desde que empezó a escribir hasta los días de su muerte toda su actividad es un continuo tomar y retomar los motivos religiosos, pues como él mismo dice: "No hay en realidad más que un gran problema, y es éste: ¿cuál es el fin del universo entero?... Danos lo económico el resorte y el móvil de la vida y nos da lo religioso el motivo de vivir. Motivo de vivir; he ahí todo" (55). Por eso se pregunta una y otra vez: "¿De dónde vengo yo y de dónde viene el mundo donde vivo y del cual vivo? ¿Adónde voy y adónde va cuanto me rodea? ¿Qué significa esto?" (56).

Toda su producción está motivada por la preocupación y los intereses religiosos; desde la elección de su problemática y la solución de los temas, hasta las preferencias literarias. La Biblia, de la que hizo lectura asidua y los pensadores religiosos entre los que hemos de destacar a San Agustín, Pascal, Kierkegaard, Spinoza, Senancour, Kant, son objeto de numerosas citas. Los teólogos, principalmente protestantes, como Harnack, Ritschl, Sleiermacher, son también muy frecuenta-

---

(54)   Ibid., 869.
(55)   OC., III, 124.
(56)   E., II, 757.

dos. Y junto a ellos, la afición de Unamuno por los poetas está también visiblemente orientada hacia lo religioso: Leopardi, Antero de Quental, Carducci, Woodworth, Tennyson, Coleridge, son los más leídos. Y, en definitiva, de una u otra forma, todas sus manifestaciones pueden condensarse en un grito muy suyo: "Acudamos a lo eterno, sí —dice—, y así, mejorada nuestra ventura y adobado nuestro juicio, encaminemos nuestros pasos por mejor camino que el que llevamos, encaminémonos a conquistar el cielo" (57).

Esta preocupación por lo religioso es, pues, insoslayable, y ningún comentarista la ha puesto en duda. Julián Marías nos dice: "La obra entera de Unamuno está inmersa en un ambiente religioso; cualquier tema acaba en él por mostrar sus raíces religiosas o culminar en una última referencia a Dios" (58) Y a este texto hay que añadir los de José María Cirarda, que es más explícito al asegurar que Unamuno "por encima de todo es un escritor esencialmente religioso" (59), y de González Caminero, que concuenda con él en que "fue un hombre realmente preocupado por el problema cristiano, y lo vivió hondamente como pocos de sus contemporáneos" (60).

Sin embargo, junto a esta coincidencia de considerar a Unamuno como un hombre y un espíritu esencialmente religioso, surgen las más variadas discrepancias en cuanto se trata de atribuir un contenido a esa religiosidad. Se le ha calificado desde ateo hasta católico pasando por las gradaciones más diversas. Ello obedece a un afán, ampliamente cumplido por Unamuno, de recoger todo lo que conviniera a las necesidades de su pensamiento venga de donde viniere. Se podría hablar de un cierto eclecticismo en su doctrina, reconocido por él mismo cuando nos dice: "Yo sigo siendo todo lo que he sido: católico, protestante, panteísta, agnóstico, socialista, anarquista, conservador, imperialista, europeizante, antieuro-

(57)   Ibid., 295.
(58)   MU., 192.
(59)   José M. Cirarda: *El modernismo en el pensamiento religioso de Unamuno*. Vitoria, 1948; p. 5.
(60)   UTI., 329.

peizante, etc. Y todo en unidad" (61). Efectivamente, no es baldía esa coletilla final, porque sin lugar a dudas, hemos de observar una trabazón en toda su obra que le presta auténtica unidad. Sobre esto iremos hablando con parsimonia a continuación.

Por ahora exclusivamente queremos resaltar un factor psicológico que se halla presente en toda su meditación religiosa y, desde luego, la conforma y orienta. Se trata de la obsesiva preocupación del *yo* a que hemos aludido. Esta obsesión por un yo rígido e insobornable es lo que centra la preocupación religiosa de Unamuno en el problema de la inmortalidad personal, pues él necesita por encima de todo asegurar su sentimiento de perpetuación. Por eso no duda en afirmar que "el anhelo de la inmortalidad del alma, de la permanencia, en una u otra forma, de nuestra conciencia personal e individual en tan de esencia de la religión como el anhelo de que haya Dios. No se da el uno sin el otro, y es porque, en el fondo, los dos son una sola y misma cosa" (62). Y en otro lugar de su obra: "Si la religión no se funda en el íntimo sentimiento de la propia sustancialidad y de la perpetuación de la propia sustancia, entonces no es tal religión" (63). Es decir, que ese factor psicológico, ese sentimiento del *yo* como algo inmutable, fijo y libre al mismo tiempo, fundamenta su problemática religiosa en torno a la pervivencia tras la muerte, el anhelo de sobrevivir y la necesidad de una inmortalidad personal, ejerciendo una auténtica presión sobre todo el resto de su meditación religiosa. La intromisión constante del yo es un error psicológico que afecta a toda su obra intelectual y la deja invalidada en un plano filosófico. Ahora ocurre lo mismo con la cuestión religiosa.

Se ha intentado, desde todos los ángulos, bajo las actitudes más diversas, calificar a Unamuno, interpretar su religiosidad, encasillándole en alguno de los moldes establecidos. Las etiquetas que más se barajan en este intento son las de cató-

---

(61)   Carta a Mariano Miguel de Val, 1910.
(62)   E., II, 927.
(63)   Ibid., 582.

lico, protestante, panteísta, místico y ateo. Cada una de ellas recoge parte de la personalidad religiosa de Unamuno, pero deja fuera otros muchos aspectos. Todas ellas, en general, tropiezan con el mismo error psicológico que hemos mencionado; las doctrinas religiosas van en Unamuno plegándose, amoldándose y tomando forma de acuerdo con las necesidades que dicho factor psicológico exige.

Por otra parte, se añade a esta dificultad una nueva, y es la transformación que Unamuno sufrió en los años del destierro, honda crisis de la que ya hemos hablado con detalle. Esta crisis afectó también a sus ideas religiosas; de las experiencias místicas de Fuerteventura ya hemos hablado, así como de su estancia en Hendaya. La significación que esta crisis alcanza en el conjunto total de la vida de Unamuno lo veremos sucesivamente. Ahora sólo queremos hacer hincapié en la trayectoria que fue sufriendo.

Una personalidad tan rica y tan compleja como la suya no podía menos de pasar por hondos cambios a lo largo de su experiencia espiritual. Es precisamente esto lo que hace que al principio fallara una interpretación unívoca de su pensamiento religioso. Desde luego, según se recojan textos de una u otra época es facilísimo dar una interpretación o la contraria. Por ello si queremos hacernos con un poco de claridad en este punto es necesario establecer aquellas etapas de su evolución que son más señaladas. Primero, una honda fe religiosa en su niñez; segundo, una crisis en la adolescencia que le llevó, tras otra breve "crisis de retroceso", a un positivismo cientifista y socialista; tercero, la crisis de 1897, que hemos analizado y que le llevó a su "cristianismo agónico", cuyo significado psicológico hemos de investigar más detenidamente; y cuarto, una última crisis producida a partir de 1924 en los años del destierro, que desembocó en una religiosidad agnóstica, de matiz panteísta, donde no cabía la inmortalidad del alma.

De todas estas etapas la más conocida es la que va de 1897 a 1924 por ser la de su actuación pública más destacada, aquella en que dio a conocer la mayor y más importante parte de sus libros; aquella, por tanto, en que él mismo se dió a conocer y se hizo popular; aquella también que corresponde a sus años de madurez. Sin embargo, a pesar de ser la más conocida no ha sido tampoco bien interpretada por desconocerse y no tener suficientemente en cuenta su relación con las etapas anterior y posterior. De la anterior había heredado un racionalismo que le impedía creer en la otra vida, pero de ella había heredado también un erostratismo que trató de satisfacer mediante la justificación de un anhelo de inmortalidad incumplido.

Este anhelo de inmortalidad personal era, a los ojos conscientes de Unamuno, mucho más importante que el erostratismo, el afán de fama, que le servía de sustituto. Lo que ocurría en realidad era al revés, como observaremos en la Cuarta Parte de este libro. Sólo así se explica que Unamuno no se atenga a ninguna religión establecida para expresar y fundamentar el anhelo de perpetuación. Su prurito de originalidad, su deseo de ser famoso, se lo impedía. El, Miguel de Unamuno, especie única, necesitaba su propia religión. Creo que ahora se comprenderá la inutilidad de los esfuerzos para encasillarlo en cualquiera de las religiones conocidas. El debía inventarse la suya propia, y efectivamente se la inventó. Todo intento en sentido contrario ha de resultar necesariamente fallido. Así lo podemos comprobar con un análisis somero, si somos lo suficientemente perspicaces.

En general, se ha dado por supuesto el cristianismo de Unamuno basándose en su preocupación y ocupación constante con él, y principalmente en una afirmación suya de 1907: "Tengo, con el afecto, con el corazón, con el sentimiento, una fuerte tendencia al cristianismo, sin atenerme a dogmas especiales de ésta o aquélla confesión cristiana. Considero cristiano a todo aquél que invoca con respeto y amor el nombre de Cristo, y me repugnan los ortodoxos, sean católicos o protestantes; éstos suelen ser tan intransigentes como aquéllos" (64). Partiendo de este texto se ha tratado de interpretar el cristianis-

---

(64)   E., II, 371.

mo de Unamuno. El catolicismo y el protestantismo aparecen siempre en pugna en esta interpretación.

Los que tratan de ofrecer un Unamuno católico nos hablan de sus constantes prácticas católicas y de su afán de volver a la fe de la infancia. Hernán Benítez, que es el más empeñado en este intento, nos dice: "Ni aún en sus épocas de más descreimiento y correteo anticlerical (1914-25) la fe católica mamada en la infancia cedió del todo e irrevocablemente. Pese al sinnúmero de luteranadas desparramadas en sus escritos, en el caracú de los huesos del alma, seguía católico, vizcaínamente católico" (65). Y aún añade: "Por la mañana estampaba una soberana herejía en el ensayo que tenía en telar; por la tarde, estremecido de emoción, encerraba en un delicioso poema el dogma católico opuesto. A la noche se acostaba católico el que a la mañana se había levantado hereje" (66). Y a "un agónico, un existencialista de cuerpo entero", como era Unamuno, "será siempre injusto enjuiciarle en mérito solo a sus escritos en los cuales piensa en voz alta", "al tiempo que en voz baja se aferra a la eterna fe de su raza" (67). Por eso, si Unamuno tiene el "corazón católico" y la "mente protestante", Hernán Benítez pide que le juzguemos por el corazón, pues si "no abjuró jamás, es verdad, de los errores de su cabeza luterana, su honestísima vida labróla según las reglas del corazón, el cual como el tenor solista, sobre un océano de polifonía cantó siempre su canto católico, sobreponiéndose a la gritería y a la rechifla de su cabeza herética" (68).

En definitiva, después de las palabras transcritas y lo que llevamos dicho, no cabe reconocer en el intento de Hernán Benítez, sino un piadoso deseo, pero reconocer asimismo que ser católico es, además de ser devoto y practicante, creer en una fe y en unos dogmas y aceptar, desde luego, la autoridad de la Iglesia en esas materias. Aranguren califica la construcción de Hernán Benítez, de un Unamuno católico, de "real-

---

(65)   DRU., 135.
(66)   Ibid., 136.
(67)   DRU., 143.
(68)   Ibid., 155.

mente insostenible y desquiciada" (69). Nos parece, en conclusión, que en este punto toda discusión sobra.

Más discutible es lo que respecta al protestantismo. Unamuno adopta, efectivamente, puntos de vista protestantes en
innumerables cuestiones. Su crítica del catolicismo como un
monstruoso compromiso entre el Derecho Romano y el Evangelio, de la racionalización de la fe, de la escolástica en una
palabra (70), le llevó a despreciar la autoridad de la Iglesia y
a rechazar sus puntos de vista, más aún, sus dogmas en múltiples ocasiones. Esto no sólo le constituye en hereje, sino que
le coloca en una posición decididamente protestante al recla-
mar el derecho a interpretar libremente las Escrituras, sin
censura ni autoridad ninguna. Este individualismo en la interpretación de los textos sagrados lo extiende también a su vida
religiosa, donde predica la posición libre de la conciencia ante
Dios, pues "la sociedad mata la Cristiandad que es cosa de so-
litarios" (71). Este mismo individualismo de cariz antropo-
céntrico es también un rasgo protestante al decir de Aranguren: "El antropocentrismo es crasamente protestante y más
que protestante" (72).

No acaba aquí su protestantismo con ser acusados estos
rasgos. La concepción de la fe que mantiene a lo largo de todos
sus escritos (73), la fe como confianza, "hija de la gracia y no
del libre albedrío" (74), fe religiosa más que teologal, fe pura
y libre todavía de dogmas" (75), arraigada en la duda, en la
desesperación y nacida de ésta, cuya esencia consiste en crear
y no en creer lo que no vimos —esta fe es un legado claramente protestante como él asegura en carta a *Clarín*. "El núcleo de mi estudio *La Fe* —dice— es de teología luterana, de

(69)   José Luis Aranguren: *Catolicismo día tras día*. Barcelona,
1955; p. 232.
(70)   Véase todo el cap. IV del *Sentimiento trágico* (E., II, 781-799).
(71)   E., I, 954.
(72)   J. L. Aranguren: *Sobre el talante religioso de Miguel de Unamuno*. "Arbor", n. 36. Madrid. 1948.
(73)   Véanse principalmente los ensayos *La fe*, el cap. IX del *Sentimiento* y el cap. VI de *La agonía del Cristianismo*.
(74)   E., I, 985.
(75)   Ibid., 261.

Herrmann, de Harnack, de Ritschl" (76). Y es probablemente esta sobreestimación de la fe, la que justifica su doctrina del obrar mal y del *pecca forte* que expone en varias partes de su obra: "Son las intenciones y no los actos —dice— lo que nos empuerca y estraga el alma, y no pocas veces un acto delictuoso nos purga y limpia de la intención que lo engendra. Más de un rencoroso homicida habrá empezado a sentir amor a su víctima luego que sació su odio en ella, mientras hay gentes que siguen odiando al enemigo que se murió, después de muerto" (77). Esta pretensión de justificar las malas obras no podría defenderse si no estuviese respaldada por una fe en la misericordia divina que sobrepasase a aquéllas. El *pecca forte* sólo se puede justificar si hay un *crede fortior* que le salvaguarda.

El deseo de "una humanidad de fuertes pasiones, de odios y de amores, de envidias y de admiraciones, de ascetas y de libertinos, aunque traigan consigo estas pasiones sus naturales frutos", este deseo, digo, solo puede mantenerse bajo una profunda fe en Dios, es cierto, pero también con una doctrina ética muy fuerte en que la religiosidad impregne todos los actos de nuestra vida cotidiana, mediante la imitación de Cristo, que "es el modelo de acción" (78). Hagámonos únicos, insustituíbles, nos dice Unamuno. "Cada uno puede y debe proponerse dar de sí todo cuanto puede dar, más aún de lo que puede dar, excederse, superarse a sí mismo, hacerse insustituíble, darse a los demás para recogerse en ellos. Y cada cual en su oficio, en su vocación civil", pues "el más grande servicio acaso que Lutero ha rendido a la civilización cristiana es la de haber establecido el valor religioso de la propia profesión civil, quebrantando la noción monástica y medieval de la vocación religiosa" (79).

Todos estos caracteres nos muestran muy a las claras el talante protestante de la concepción religiosa de Unamuno. Este

(76)   Carta a *Clarín*. Salamanca, 10-V-1900.
(77)   E., II, 310.
(78)   Ibid., 970.
(79)   Ibid., 971.

protestantismo ha levantado grandes polémicas; en Unamuno mismo se hallan críticas contra él y algunos lugares de sus obras —pocos desde luego— sostienen tesis no del todo acordes con las presentes. Aranguren, quien más atención ha prestado a este aspecto de su religiosidad, nos sale al paso de la dificultad: "Se objetará —dice (80)—, tal vez, que Unamuno ha combatido el protestantismo con no menos dureza que el catolicismo. Pero aquí hay un malentendido. Siempre que Unamuno combate el protestantismo, lo que combate es el protestantismo *edulcorado,* moralizado y racionalizado, nunca el auténticamente luterano, calvinista, puritano o jansenista". Lo confirma cuando hace hincapié en la desesperación y la angustia, eje radical de la agónica religiosidad unamuniana, pero, también posición fundamental del ánimo luterano: la angustia ante el pecado y la condenación y la angustia ante la nada postrimera. Aún llega más lejos Aranguren y observa en él "una aterradora evidencia: la de la posibilidad, por ventura nunca realizada fuera de este hombre, de un luteranismo español".

Sin embargo, el mismo comentarista vislumbra también al final de su estudio un derecho a hablar de "otro" Unamuno más católico y menos protestante, ateniéndonos a textos como el de su primer obra *En torno al casticismo,* así como ciertas partes del capítulo X de *Del sentimiento trágico* y *El Cristo de Velázquez.* Incluso en *San Manuel Bueno, mártir* encuentra la "muestra de un patente sentido católico de la fe como comunión: nuestra *creencia* individual está siempre sustentada, incluso a pesar suyo, por la comunidad religiosa a que pertenecemos" (81). De una forma o de otra es lo cierto que el pro-

---

(80)   ARANGUREN, loc. cit.
(81)   Para mantener este punto de vista cita un largo párrafo de la obra: "Y al llegar a lo de *creo en la resurrección de la carne y en la vida perdurable,* la voz de don Manuel se zambullía, como en un lago, en la del pueblo todo, y era que él se callaba. Y yo oía las campanadas de la Villa que se dice aquí que está sumergida en el lecho del lago... y eran las de la villa sumergida en el lago espiritual de nuestro pueblo; oía la voz de nuestros muertos que en nosotros resucitaban en la comunión de los santos. Después, al llegar a conocer el secreto de nuestro santo, he comprendido que era como si una caravana en marcha por el desierto, desfallecido el caudillo al acercarse al término de su carrera, le tomaran en hombros los suyos para meter su cuerpo sin vida en la tierra de promisión."

testantismo de Unamuno no está nada claro; su casi constante práctica católica lo desvirtúa muchísimo, si no del todo. Si a esto añadimos su explícita repulsa de él ya no puede caber lugar a dudas. Oigámosle: "Yo no sé por qué —nos dice (82)— el protestantismo histórico no acaba de satisfacerme y me parece poco adecuado para los pueblos que llamamos latinos. Tiene cierta estrechez de criterio". Afirmaciones semejantes a estas son muy fáciles de encontrar en los escritos unamunianos, y más aún en su epistolario.

Por otro lado, la tesis de un Unamuno luterano auténtico, sin mezcla alguna, tampoco parece confirmada en sus escritos. Una de sus ideas más queridas y constantes es la del Cristo simbólico, en la que la realidad histórica de Cristo no tiene mucha importancia, pues Cristo es, antes que otra cosa, un mito elaborado por las aspiraciones, los deseos, las actitudes y las ideas de los cristianos todos. Cuando Bogdán Raditza le pregunta en Hendaya, el 14 de agosto de 1928, si cree en la existencia histórica de Cristo, le contesta: "Debería haberse hecho esa pregunta a sí mismo después de haber leído mi *Sentimiento trágico de la vida*. Ahora me pregunta usted si Cristo ha existido. Yo puedo volver la pregunta del revés y preguntarme a mí mismo. ¿No ha existido nunca Cristo? A mí no me preocupa personalmente la figura llamada Cristo, que vivió, comió y recorrió Galilea. Yo creo en un cierto Cristo, que vive en el alma de Pablo, Pedro y en la de todos los que han venido después de ellos al correr de los siglos y en mí mismo, en todo el género humano, en la inconsciencia de nuestra humanidad y en la inconsciencia del Universo, ha existido verdaderamente" (83). Y ésta es una idea modernista, que proviene de la exégesis racionalista de los Evangelios, muy posterior al protestantismo luterano. De aquí la interpretación del P. Cirarda de un Unamuno modernista.

En medio, pues, de esta baraúnda de opiniones nos quedamos en la más plena confusión. ¿Qué era, definitivamente, Una-

---

(82)   Carta a Nin Frías, 13-XII-1906.
(83)   *Cuadernos* (Congreso por la libertad de la Cultura), n. 34, enero-febrero 1959, pp. 47-48.

muno en sentido religioso? ¿Protestante, católico, luterano, racionalista, modernista? Todas estas tesis se han manejado y
una a una todas se le han achacado alguna vez. Sin embargo,
ninguna de ellas es absolutamente fiel. Una interpretación hon-
rada y ajustada a su pensamiento ha de recoger esos aspectos
diversos y aparentemente contradictorios para mostrar su unidad y su significado dentro de la concepción unamuniana. El
mismo don Miguel se daba cuenta de la heterogeneidad de su
pensamiento, pero no era tampoco menos consciente de su originalidad —de intento buscada— y de su unidad, cuando lo
califica de *catolicismo popular español*, ese catolicismo tortu·
rado y agónico que tiene su máxima expresión en los Cristos
españoles, "Cristos lívidos, escuálidos, acardenalados, sangui-
nosos, esos Cristos que alguien ha llamado feroces" (84).

Esta posición, totalmente original en el plano religioso, ha
permitido a algunos de sus comentaristas ver en él un "reformador religioso". A ello hacen referencia Luis S. Granjel y
José Luis L. Aranguren. El primero nos dice: "Ante católicos
y protestantes, enfrentándose con todos, Unamuno sostuvo
una manera muy peculiar de entender la religión, de creer o
querer creer en ella". Y más adelante: "¿Pretendió Unamuno, con su personal versión del catolicismo, emular, en España,
la hazaña llevada a cabo por Lutero, en el mundo germánico?
Hay momentos en que, por fantástica que pueda parecernos la
idea, la lectura de Unamuno hace pensar en tal posibilidad" (85). El segundo es aún más radical: "En él —dice (86)—
había temple de reformador religioso como lo había de reformador político. Hubiera querido fundar un catolicismo español.
No lo hizo porque el siglo XX no es el XVI y además era un soñador y no un hombre de acción". Y después es más tajante:
"Unamuno se nos aparece, no como un reformador cualquiera, sino como uno entre la media docena de los más grandes".

Unamuno, pues, en su afán de sobresalir y singularizarse,
se inventó su propia religión, la que él llamó *catolicismo po-*

---

(84)   E., II, 391.
(85)   RU., 243-44.
(86)   Loc. cit.

pular español. Este es el que vive en la entraña eterna de nuestra patria, ya que "la más honda labor de cultura" de nuestro pueblo "es tratar de darnos clara cuenta de ese nuestro catolicismo subconsciente, social o popular" (87), que se confunde con su sentimiento trágico de la vida. Así lo dice: "Y este sentimiento trágico de la vida es el sentimiento católico mismo de ella, pues el catolicismo y mucho más el popular, es trágico" (88). Las referencias son múltiples y las citas nos llenarían varias páginas. Bástennos dos. En la primera dice: "Yo, que odio el catolicismo, oficial, dogmático, eclesiástico, estoy muy conforme en el sentimiento con el catolicismo popular español" (89). La segunda rechaza de paso el protestantismo: "Propendo cada vez más —dice— a lo que yo llamaría el catolicismo popular español, que no es el oficial de la Iglesia. Cuanto más estudio las últimas derivaciones protestantes más me convenzo de que riñen con las más entrañadas aspiraciones del alma de mi pueblo..." "El idealismo protestante de los pueblos germanos debilita y neutraliza nuestra aspiración casi semítica a la inmortalidad, nuestro anhelo de señales de otra vida, nuestro realismo religioso que se cifra en lo escatológico" (90). No creo que sea necesario citar más. Espero que las dudas se hayan disipado en los lectores.

La tarea, sin embargo, no ha terminado. Una nueva labor nos espera. Y es la de señalar un contenido central a esta original concepción unamuniana. ¿Por qué se caracteriza ese nuevo "catolicismo popular español"? Pues bien, creo que su núcleo más señalado es esa preocupación por el propio yo en su proyección tras la muerte. Rechaza todas las concepciones en cuanto ponen trabas a este anhelo; así ocurre con el ateísmo, el panteísmo o el misticismo. El mismo reparo le pone, como acabamos de ver, al idealismo protestante y también al catolicismo en lo que respecta a su doctrina de la contemplación beatífica de Dios tras la muerte; para Unamuno hay en esa

---

(87) E., II, 392.
(88) Ibid., 393.
(89) Carta a C. González Trilla. Salamanca, 12-XII-1909.
(90) Carta XIII a A. Nin Frías, sin fecha, pero con seguridad de 1912.

contemplación poca conciencia de nuestra individualidad, poca individualidad, en suma (91). "Lo que en rigor anhelamos para después de la muerte es seguir viviendo esta vida, esta misma vida mortal, pero sin sus males, sin el tedio y sin la muerte" (92). Mantener, conservar y dar expansión a su individualidad es el eje sobre el que levanta toda su concepción religiosa; en ella hay elementos católicos, protestantes, místicos y hasta panteístas, hábilmente entrelazados y unidos todos por la figura de Cristo. Este Cristo, naturalmente, es un Cristo mitológico del que la característica más importante es el garantizarnos la vida perdurable.

La doctrina religiosa que emana de estas consideraciones está dispersa por todos los escritos de Unamuno, pero de forma más sistemática y completa que en cualquier parte en *El Cristo de Velázquez*. A través de él se ve que "la fe en la resurrección de la carne, es decir, en la inmortalidad de Cristo es el núcleo, como fué la semilla del cristianismo" (93). Pues en esto consiste fundamentalmente la religión de Unamuno, como él dice por boca de Pablo de Tarso: "Si no hay resurrección de muertos, Cristo tampoco resucitó, y si Cristo no resucitó, es vana nuestra predicación, vana es también nuestra fe" (I Corintios XX, 13 y 14). Y esta creencia en la resurrección "ha sido para los cristianos, háyanlo sabido éstos o no, el sostén de la fe en su propia inmortalidad, manantial de la vida íntima del espíritu. Y así pudo decir Atanasio que Cristo había deificado a los hombres (Θεοποιειυ) que los había hecho dioses (94). Donde estas ideas son glosadas con más detalle es en el poema antes citado. Uno de los comentaristas que se han ocupado de él nos dice: "*El Cristo de Velázquez,* de Unamuno,

(91)   "Esa visión beatífica que se nos presenta como primera solución católica, ¿cómo puede cumplirse, repito, sin anegar la conciencia de sí? ¿No será como el sueño en que soñamos sin saber lo que soñamos? ¿Quién apetecería una vida eterna así? Pensar sin saber lo que se piensa, no es sentirse a sí mismo, no es ser. Y la vida eterna, ¿no es acaso conciencia eterna, no sólo ver a Dios, sino ver que se le ve, viéndose uno a sí mismo a la vez y como distinto de El?" (E., II, 937).
(92)   Ibid., 937.
(93)   E., I, 582.
(94)   Ibidem.

no es el Cristo de la Iglesia, sino un Cristo mitológico" (95). Efectivamente, "somete su relación con Cristo a una relación unipersonal, ajena a dogmas eclesiásticos"... "Para Unamuno es Cristo la más perfecta sublimación de su duda: hijo de Dios, creador de Dios y Dios a su vez; encerrado en la contradicción que significa morir para salvar la inmortalidad y efectuar el máximo acto de fe, que es la muerte, a presión de una radical inseguridad en cuanto a la validez del acto. No en el Cristo vivo, taumaturgo y evangelizante, sino en el Cristo crucificado, muriente, pone Unamuno su fe cordial, y es en el episodio de la muerte donde encuentra la lección cristiana auténtica" (96). Así puede decir en el poema:

Que eres Cristo, el único
Hombre que sucumbió de pleno grado,
triunfador de la muerte, que a la vida
por Ti quedó encumbrada. Desde entonces
por Ti nos vivifica esa tu muerte,
por Ti la muerte se ha hecho nuestra madre,
por Ti la muerte es el amparo dulce
que azucara amargores de la vida,
por Ti, el Hombre muerto que no muere... (97).

Y por esto nos puede decir el P. Luis de Fátima: "La tesis general, diluída a lo largo del magnífico poema, viene a ser ésta: Jesús es el hombre —eres el Hombre eterno (I, p. 13)—, el Hombre ideal, mito creado por el hombre —por los hombres— en su instinto de inmortalidad, en su afán de no morir, en su hambre de vivir para siempre... ¡Esa preocupación, rayana en la morbosidad, característica de Unamuno, por la supervivencia!" (98).

La idea de Cristo como creación humana se ve repetida a lo largo del poema. Así dice:

¡Tú eres el Hombre-Dios, Hijo del hombre!
La humanidad en doloroso parto

---

(95) Luis de Fátima Luque, O. P.: *¿Es ortodoxo el "Cristo" de Unamuno?* (Comentarios a un poema.) *Ciencia tomista.* Salamanca, 1943.
(96) PU., 156.
(97) CV., 17.
(98) Fray Luis de Fátima Luque, loc. cit.

de última muerte que salvó a la vida
Te dió a luz como Luz de nuestra noche... (99).

Y más adelante:

¡He aquí el Hombre! por quien Dios es algo.

En el poema *Anfora* insiste en la misma idea:

Anfora blanca del licor divino
por siglos de los siglos decantado... (100).

Sobre el sentido humano, y no divino, de la naturaleza de Cristo puede leerse el poema *Tierra*:

Es tu regazo de mullida yerba
para dormir sin fin cuna del alma,
y tu seno, que pan nos da, dió al Justo
su carne cebo de la muerte avara:
¡tierra panera, le pariste tú! (101).

Cristo es el sueño de nuestra vida, y con ello comprobamos una vez más el sentido místico de su realidad:

¡Y Tú, Cristo que sueñas, sueño mío,
.... (102).

Pero a su vez Cristo sueña con el reino de su Padre, con la inmortalidad de nuestra vida, con la vida eterna:

Y di. ¿soñabas?
¿Soñaste, Hermano, el reino de tu Padre?
... ...

Di, ¿de qué vivimos
si no del sueño de tu vida, Hermano?
¡No es la sustancia de lo que esperamos,
nuestra fe. nada más que de tus obras
el sueño, Cristo! (103).

Por eso, Cristo antes que nada, su valor más alto y entrañable, es el garantizador de nuestra inmortalidad personal. Las alusiones más abundantes y la doctrina más importante de

(99)   CV., 20-21.
(100)   Ibid., 52.
(101)   Ibid., 118.
(102)   Ibid., 29.
(103)   Ibid., 29.

todo él, la que se mantiene a lo largo de toda su longitud, es precisamente ésta. Las citas podrían multiplicarse:

eres testimonio
Tú el único de Dios, y en esta noche
solo por Ti se llega al Padre Eterno (104).

En el llamado *Paloma:*

¡Tú, así, paloma blanca de los cielos,
nos vienes a anunciar que hay tierra firme
donde arraigar allende nuestro espíritu
y que florezca por la eternidad! (105).

Y se repiten los epítetos y las afirmaciones:

"pan de inmortalidad, carne divina" (106)
... ...
.... "donde los hombres
la tímida esperanza cobijamos
de no morir del todo" .... (107)
¡Sin Ti, Jesús, nacemos solamente
para morir; contigo nos morimos
para nacer y así nos engendraste! (108)
... .../ ... ...
Tú con tu muerte afirmas nuestra vida (109)
... ...
y tu muerte en el leño fué la prenda
de la resurrección de nuestros cuerpos... (110)
... ...

¡Tú, Cristo, con tu muerte has dado
finalidad humana al Universo
y fuiste Muerte de la muerte al fin! (111).

Podríamos aún prolongar mucho las citas, pero no queremos cansar al lector. Son suficientes para afirmarnos en la idea de que el cristianismo de Unamuno, esa peculiar religión

(104)   Ibid., 22.
(105)   Ibid., 53.
(106)   Ibid., 56.
(107)   Ibid., 111.
(108)   Ibid., 125.
(109)   Ibid., 136.
(110)   Ibid., 137.
(111)   Ibid., 133.

que él llama "catolicismo popular español", está centrado en una sola idea: la relación inmortalizadora de Dios con el hombre, encarnada en la figura simbólica de Cristo. Ahora bien; ¿qué garantía de inmortalidad puede ofrecernos una figura que ha sido creada por nosotros mismos, en un intento de justificar o simbolizar nuestro anhelo insaciable? Indudablemente, ninguna. Y ello sólo se explica por aquel factor psicológico de que hablamos al principio que impulsaba a Unamuno a entrometer su "yo" en todas las cuestiones, tanto vitales como intelectuales, con su acompañamiento del afán de sobrevivir en la historia, alimentado constantemente por un incontenible instinto de perpetuación.

Esta nueva religión satisfacía su prurito de originalidad, su afán de sobresalir, su necesidad vanidosa de ser famoso y sentirse admirado, pero no podía satisfacer sus auténticas necesidades espirituales, pues el egocentrismo es siempre una posición engañosa, falta de objetividad y de verdad, creadora de sufrimientos y dificultades. Esta insatisfacción, acompañada de estímulos ambientales y sociales nuevos, le llevó a buscar nuevas soluciones. Me refiero a los años del destierro (1924-1930) en que don Miguel sufrió otra crisis y experiencias inéditas en su ya larga vida. A ellas nos hemos referido al hablar de los años de la vejez en la Primera Parte. Esta nueva crisis ha sido la última descubierta por los críticos, y es esto lo que explica la importancia seguramente excesiva que se le ha dado.

Pero en los años de destierro su crisis no es solo religiosa, sino también psicológica, como él dice cuando nos habla de plantearse el problema de sus "yos" ex-futuros, es decir, de lo que podría haber sido de no haberse encontrado en la situación en que su destino le colocó. Toma, pues, las riendas de su vida antes de implantarse en Salamanca, antes de que surgiera la crisis que estimuló a su "yo" a surgir con fuerza arrolladora, a crearse su propia leyenda. En esta nueva meditación descubrió en sí mismo un místico. Lo indican sus sonetos de esa época, lo indica también él mismo cuando nos habla de su experiencia religiosa de Fuerteventura. A la luz de esta experiencia Unamuno cobra nueva conciencia de sí y se da cuenta de su comedia, o mejor, de su tragedia. Lo que ya había sospechado muchos años antes de sí mismo —que era un hipócrita, un farsante— toma nueva fuerza. "¿No estaré acaso a punto de sacrificar mi yo íntimo, divino, el que soy en Dios, el que debo ser, al otro, al histórico, al que se mueve en su historia y con su historia?" (112). Y a continuación se pregunta sin disimulo si no será un hipócrita. A pesar de su contestación negativa no logra calmar su conciencia y se preocupa de que algún lector "se indigne diciendo que no hago sino representar un papel; que no ha sido seria la comedia de mi vida" (113). Nosotros ya sabemos a qué atenernos. Unamuno, llevado de la obsesión por el propio yo y su deseo de dejar nombre (114), efectivamente, se creó una leyenda, una historia en torno a sí mismo, hasta se inventó una religión. Todo esto, aunque no lograse calmar nunca totalmente a su conciencia, fué un proceso inconsciente que no llegó a revelarse del todo, sino en estos años en que la crisis del destierro le descubrió la verdad. En ellos se dió cuenta de que su vida y su doctrina intelectual, religiosa, había sido una comedia, pues él, desde luego, no creía aquello que se había inventado, no creía en lo que, en definitiva, era más importante para él: la inmortalidad personal. ¿Qué hacer en esta situación? ¿Reconocer que su vida había sido un engaño? ¿Cómo hacerlo, si había sido un engaño en que él había creído de buena fe? La solución que adoptó ya vimos cuál fué. Una vuelta a la "niñez eterna", un encuentro con el verdadero Dios a través del mito de la madre.

Esta solución ha permitido a algunos comentaristas hablar del panteísmo e incluso del ateísmo de Unamuno. Nos dice González Caminero: "Muchísimas veces no se le puede librar de un acentuado sabor panteísta, ni el mismo autor estuvo siempre ajeno a la mentalidad y al sentimiento de los filósofos y poetas que, al dejar de creer en el Dios personal y providen-

---

(112)   CHN., 97-8.
(113)   Ibid., 118.
(114)   "¡Ser mirado, ser admirado y dejar nombre! ¡Dejar nombre!" (TC., 861).

te de la fe cristiana, reaccionan por sobreexceso viendo y experimentando por todas partes un *quid numinosum* que calma momentáneamente la incurable nostalgia de un corazón vacío y anhelante" (115). Y otra vez: "Sus expresiones adquieren un sabor panteísta que hacen sospechar del atributo de la personalidad divina reconocido y afirmado en otras partes de su obra" ... "nos atrevemos a opinar que si Unamuno no fue panteísta, se aproximó muchísimo al panteísmo en su manera de sentir a Dios" (116). Efectivamente, su posición de estos últimos años se halla más cercana al misticismo panteísta que a otra cosa, como hemos podido observar cuando nos hemos ocupado de este tema.

Sin embargo, no estamos en absoluto de acuerdo con lo del ateísmo. Sánchez Barbudo, que es quien más denodadamente trata de defender esta tesis, tampoco parece muy firme. Nos dice claramente que la experiencia religiosa de Fuerteventura no es "distinta a esa panteísta de que nos hablan los sonetos" (117). Y añade: "Esa cara de Dios que allí descubrió, Dios inmanente al mundo, en cuya alma *perece,* es sólo una de tantas trágicas escapatorias, como él diría, de los que han perdido la fe en un verdadero Dios, que pudiera salvarnos; un Dios cristiano, que se manifiesta en lo creado, sí, pero que ha de existir aún por encima de nosotros, fuera de la tierra y de sus aguas. Esa fe panteísta, que él en París añora, lejos de haber dado nuevas raíces a su cristiandad, es sólo un indicio más de que Unamuno había perdido completamente, hacía mucho, su fe cristiana" (118).

Creo que son suficientes estas dos citas para nuestro propósito. Si Sánchez Barbudo le califica, después, de ateo, cosa totalmente injustificada, es porque para él el panteísmo es también, como para Unamuno, una trágica escapatoria, máxime si recordamos que un poco antes, hablando de los sonetos de Fuerteventura, dice que "en casi todos ellos puede descu-

(115)   UTI., 288.
(116)   Ibid., 299.
(117)   EUM., 101.
(118)   Ibid., 101-102.

brirse un acusado sabor panteísta" (119). Sin embargo, a los amigos de las distinciones nos gusta dejar las cosas claras. No por afán puntillista, sino porque en todo panteísmo sigue existiendo un profundo anhelo religioso y una vida, que responde a vivencias hondamente religiosas, de las que Maritain llama "mística natural". Por el contrario, en el ateo la vivencia y el sentimiento religioso de la vida desaparecen dejando su hueco a la "soberbia de la vida", de la que, por tantos conceptos y en otro sentido, don Miguel tampoco anduvo muy alejado.

La tesis verdaderamente central de los estudios de S. Barbudo no es, por tanto, la del ateísmo, sino la de la sinceridad unamuniana. Sobre este punto daremos pronto nuestra opinión. Sólo queda por aclarar otra cuestión. Y es ésta: Si Unamuno había dejado de creer en el cristianismo y en la inmortalidad del alma, ¿por qué ese empeño en calificar de cristiana su experiencia de Fuerteventura? En primer lugar, Unamuno no había llegado a una claridad última consigo mismo. En segundo lugar, "su" cristianismo es quien le había abocado a aquella nueva experiencia y si un nuevo misticismo aparecía como resultado del mismo, algo conservaba de aquél, aunque no fuese más que en concepto de causa. En tercer lugar, algo quedaba en él de su antiguo egotismo, del que nunca logró desprenderse y Cristo el inmortalizador, seguía siendo el símbolo más sublimado y, al mismo tiempo, más auténtico de él. Su antiguo horror al panteísmo, al que Unamuno, afanoso de permanecer en su ser, califica de ateísmo, se apodera otra vez de él; el ansia de inmortalidad vuelve a surgir y con ello el panteísmo aparece como el más terrible y despiadado negador de dicha ansia.

Unamuno ama y odia a Dios, porque su egocentrismo, casi satánico, se opone a El con todas sus fuerzas. Así se expresa Landsberg (120): "Hay que decirlo, en su obra se oculta algo así como un orgullo sombrío, quizá hasta cierta complacencia en lo trágico, en todo caso una fatal tendencia inconsciente que

_____

(119)   Ibid., 100.
(120)   LANDSBERG, P. L.: *Reflexiones sobre Unamuno*". Rev. "Cruz y Raya". Octubre 1935, n. 31, p. 45-46.

le llevó a rebuscar lo peligroso, contradictorio y paradógico".
"La lucha más profunda desencadenada dentro de Unamuno
no es acaso entre el intelecto y el sentimiento, sino entre
Cristo y Lucifer. Aire luciferino se advierte en aquella decla-
ración del poeta de que no sabe si habrá creado personas con
almas inmortales" ... "También es algo luciferina su doctrina
central, ya mencionada, por la que adjudica al hombre, si bien
como última posibilidad mística, aquel conocimiento creador
en sí mismo, que para San Agustín, por ejemplo, constituye el
conocimiento propio y exclusivo de Dios. La peculiar falta de
alegría en su obra, casi diría su grandiosa carencia de infan-
tilidad radica aquí acaso. Y hasta hay que suponer que no es
ninguna casualidad que la figura de Caín le atraiga siempre
de nuevo y que alcance a comprenderla con la mayor profundidad, arrancado de su condenación". Y aquí sí que reside la
verdadera tragedia unamuniana, tragedia hondamente humana, encarnada, en unos más y en otros menos, en el espíritu de
cada hombre, y que se expresa en su cita de Miguel Angel:
"Vorrei voler, Signor, quel ch'io non voglio", magníficamente
expuesta en uno de los sonetos más representativos de él
mismo (121):

> Querría, Dios, querer lo que no quiero;
> fundirme en Ti, perdiendo mi persona,
> ese terrible yo por el que muero
> y que mi mundo en derredor encona.
> Si tu mano derecha me abandona,
> ¿qué será de mi suerte? Prisionero
> quedaré de mí mismo; no perdona
> la nada al hombre, su hijo, y nada espero.
> "¡Se haga tu voluntad, Padre!", repito,
> al levantar y al acostarse el día,
> buscando conformarme a tu mandato.
> Pero dentro de mí resuena el grito
> del eterno Luzbel, del que quería
> ser, de veras, ¡fiero desacato!

---

(121)   RSL., 256-7.

4. La "máscara de Unamuno.

Hemos llegado a un momento en nuestra investigación en que se hace insoslayable tratar del problema de la sinceridad en Unamuno. A este respecto conviene retomar la meditación en aquel punto en que la dejamos cuando hablábamos del *superego*. Recordemos que este *superego* nos planteó la cuestión de si todo él no sería una "máscara" con la que Unamuno trataba de ocultar su verdadera realidad. Efectivamente, se adivina bajo todas las manifestaciones del autor vasco una excesiva preocupación por el "gesto", un afán de llamar la atención, un deseo de singularizarse, una vanidad irreprimible, que es lo que primariamente nos avisa sobre una posible insinceridad, que incita a buscar lo que hay de auténtico en el fondo de todas sus grandilocuencias, paradojas y contradicciones.

Se ha hablado de una posible hipocresía de Unamuno. No vamos a lanzar una opinión de buenas a primeras. El problema está ahí. Por el momento, bástenos con señalarlo y con señalar también que no es un problema sólo para nosotros; lo es también para el mismo Unamuno y para numerosos críticos.

Unamuno, que la mayoría de las veces alardea de su sinceridad, tiene con relativa frecuencia caídas en la angustia y el remordimiento, congojas, como él dice, hondamente vividas, en las cuales es muy significativo que se pregunte si él verdaderamente, auténticamente es sincero y no estará haciendo de su vida una comedia, si él mismo no será un histrión o un farsante. Y hasta se llega a preguntar si no será un hipócrita.

Los críticos han recogido estas afirmaciones para hablar de una hipocresía en Unamuno. La mayor parte de ellos se han conformado con afirmarlo y barajar posibilidades acerca de ello; sin embargo, Sánchez Barbudo ha tomado estas partes de la obra unamuniana como eje central de su interpretación y llega a la conclusión de que en él había una insinceridad radical.

No estamos de acuerdo y el mismo crítico tampoco parece muy compenetrado con su tesis cuando en un lugar de su obra

nos dice: "Esas alternativas de verdad y mentira; ese fondo de
dolor y mucho de pirotecnia, juego y repetición; literatura en
seco en la que hallaba, a veces, otra vez la fuente de su pesar;
toda esa mezcla, oscura, romántica, de egotismo y exhibicionismo, pero también de verdadera soledad y verdadera ansia
de Dios, es lo que formaba la compleja personalidad de Unamuno" (122). Sin embargo, este comentarista, de esas alternativas, sólo toma en cuenta la mentira frente a la verdad, la
pirotecnia y el juego frente al dolor y el egotismo y exhibicionismo frente a la verdadera soledad y ansia de Dios. ¿Por qué?
Sin duda, porque cree que ésta es la parte que mayor importancia tiene en la personalidad unamuniana y ella ahoga a la
otra.

Las razones que tenemos para no mostrarnos conformes son
de varia índole. En primer lugar una razón de carácter ético,
pues si partimos de la insinceridad de un hombre hemos invalidado no sólo su obra intelectual, sino todo su talante moral.
La posición de un crítico honrado debe ser la buena fe en la
obra que critica y la buena fe también en el autor de dicha
obra. Si para Sánchez Barbudo, Unamuno es ateo, su interpretación tropieza constantemente con la necesidad religiosa que
él siempre tuvo, con su ansia de Dios y también con sus vivencias divinas. Sostiene este crítico que Unamuno escoge la satisfacción del ansia de fama y nombre porque no cree en otra
vida que haga posible la satisfacción de su necesidad religiosa,
de un ansia de salvación y de inmortalidad. Esto supondría en
él una hipocresía constante y un continuo engaño al lector
cuando habla de duda, de lucha o agonía. Haría de él un caso
verdaderamente monstruoso de inmoralidad intelectual e invalidaría totalmente su obra que está llena de hallazgos, de sugerencias, de verdades altamente sentidas e invalidaría también su vida que constituye la más profunda experiencia espiritual habida en España desde hace muchos años entre gente
conocida. No podemos aceptar la interpretación de Sánchez
Barbudo, porque creemos en la sinceridad de Unamuno. Es
imposible poner tanto acento de pasión en cosas que no se

---

(122)   EUM., 93.

creen; no se puede creer en un engaño de Unamuno a la vista de las páginas febriles de sus obras, llenas de calor humano y de entrega apasionada al lector. No se podría escribir, como lo hace Julián Marías, que Unamuno *vive* "el problema con una intensidad y agudeza a la que, por desgracia, estamos desacostumbrados" (123), si no se adivinase en él una sinceridad a ultranza. Si habla de fe es que la tiene, si habla de incredulidad es que también la tiene. En esto consiste su contradictoria personalidad —instinto de vanidad y necesidad religiosa en pugna—, y esto es lo que debemos aclarar si queremos comprenderle, y no tacharle *a radice* de insincero e hipócrita.

En segundo lugar, creemos que es posible hallar una comprensión más profunda y más amplia de Unamuno si insertamos esos arrebatos de arrepentimiento y angustia en el complejo total de su obra, y no los entresacamos para hacer de ellos una auténtica aguja de marear en medio del mar unamuniano. Por otro lado, la existencia de un problema de sinceridad no indica insinceridad, sino todo lo contrario, una sinceridad a ultranza. Y este problema existe, indudablemente, en la obra de Unamuno, aunque no suponga lo que este crítico ha querido ver. Nuestra tarea es ver qué sentido y qué significación tiene antes de lanzar ningún juicio sobre él.

Este problema de sinceridad es, en primer lugar, un problema de exposición, que procede de diversas causas. Por una parte, el método que podríamos llamar de las contradicciones, utilizado por Unamuno, consistente en hacer una afirmación y al poco tiempo hacer exactamente la contradictoria, ya que afirmaciones y negaciones mutuamente se apoyan. La constante oposición de los contrarios: la paz y la guerra, la razón y la vida, el pensamiento y el sentimiento, la fe y la duda, la lógica y la biótica, la seguridad y la incertidumbre, la esperanza y la desesperación, la cabeza y el corazón, es el método normal de su discurso. Método que, naturalmente, lleva a discusiones y confusiones sin cuento que hacen difícil entender a Unamuno y, desde luego, permite plantear el problema de su sinceridad como autor. Este método, sin embargo, está justifi-

(123) MU., 194.

cado, desde el punto de vista intelectual, por la necesidad dialéctica de la "realidad", por el dinamismo trágico de la vida; pero también, desde un punto de vista psicológico, por la impulsividad catártica que origina sus escritos.

Toda su obra es una catarsis continua, realizada a impulsos de pasión, que hace que Unamuno estampe aquí o allí lo que piensa o siente en ese momento, sin preocuparse de la coherencia que pueda tener con lo anterior ni tampoco con lo posterior. Esta necesidad catártica de su obra será estudiada en todas sus implicaciones psicológicas más adelante; por ahora bástenos para justificar las contradicciones internas de su pensamiento, que pueden aparecer como una prueba de insinceridad sin que en el fondo lo sea. Así lo sostiene él mismo en su ensayo *Sobre la consecuencia, la sinceridad*. Allí dice, entre otras reflexiones muy sabrosas para entender su obra: "Miles de veces se nos pesa de la sinceridad de sopetón, de la sinceridad explosiva; no todo lo que se nos ocurre brota de nuestras entrañas estadizas. Hay, pues, una cierta consecuencia en la sinceridad y una especie de sinceridad que es, en el fondo, inconsecuente, como hay una consecuencia y una inconsecuencia insinceras".

Exite todavía un tercer punto que puede provocar en los críticos la sospecha de insinceridad. Son las contradicciones procedentes de la evolución espiritual de Unamuno. Efectivamente, don Miguel pasó del catolicismo al positivismo; de éste al agonismo y, por fin, a una religión mística o panteísta. Si tratamos de hacer una exposición sistemática de su pensamiento encontramos nuevamente tal cúmulo de contradicciones que otra vez se nos plantea la cuestión de su sinceridad. Por otro lado, las contradicciones originadas por su evolución intelectual es frecuente que se mezclen con las contradicciones inherentes a su pensamiento de madurez, esencialmente paradógico, agónico y dubitativo, lo que aumenta más el confusionismo entre los críticos. Pero todo esto no son más que dificultades, como vemos, que derivan de la original peculiaridad de su obra y no afectan, de ningún modo al tema de la sinceridad.

Sin embargo, existe un auténtico problema de sinceridad en Unamuno. La pista para acercarnos a él es, por un lado, esa atención sospechosa al "gesto", a la "máscara", que él presta con sobrada frecuencia; por otro, esos desahogos que tiene de vez en cuando con el lector y en los que casi siempre se pregunta si no estará haciendo comedia de su vida. Este problema le afectó, de modo especial, en dos épocas de su vida: la crisis de 1897 y la de 1925. En ambas la cuestión se centra sobre dos Unamunos, el histórico o social y el eterno o íntimo, el yo superficial y el profundo. A esta cuestión es a la que él llamó "problema de la personalidad" y constituye el eje de la sinceridad unamuniana. El problema de la personalidad es el de la sinceridad y su cuestión central es ésta: ¿Cuál es el verdadero Unamuno? ¿Es él lo que parece? Es decir, ¿su yo histórico y social responde al íntimo y profundo?, ¿su yo exterior es la expresión de su yo interior? O en otras palabras, ¿ha sido sincera su vida?, ¿ha dicho siempre lo que creía?

En 1897 —como sabemos— se plantea por primera vez el dilema entre el afán de fama y el ansia de Dios. Unamuno no pudo renunciar a ninguna de estas dos necesidades; por eso identificó el ansia de Dios con el anhelo de inmortalidad personal que, al quedar incumplido por evidencia de la razón, permite dar salida a su afán de fama, pretendiendo lograr con ésta un paliativo a la inmortalidad que la religión no le ofrecía. Pero, obsérvese una cosa, y es el primer plano que ocupa el *yo* en toda esta meditación. Tanto en el caso de la inmortalidad personal como en el de la supervivencia en la historia, lo que le interesa es un puesto de primera línea para su propia individualidad. Quiere asegurar la satisfacción a una vanidad irreprimible que se halla debajo de todos sus gestos y gritos. Ya vimos cómo justificó su verdadero problema ocultándolo bajo una lucha aparente entre razón y fe, y ya vimos también cómo su deseo de ser admirado, reconocido y aplaudido fué simbolizado por la figura de Cristo, el inmortalizador, agónico y dubitativo. Ese Cristo, creación suya, efectivamente le inmortalizaría, si no en la otra vida, por lo menos en ésta, pues a él se debía su original invención.

Los años de madurez se caracterizaron por la formación de esta leyenda que Unamuno hizo de sí mismo, hombre agónico y solitario, luchando siempre por alcanzar una inmortalidad que anhelaba y en la que no lograba creer. Esta leyenda, con la que él trataba de justificar su vanidad, fué creída por él mismo, en un engaño del que sólo de vez en cuando tomaba conciencia. La angustia y el remordimiento que lo invaden, a lo largo de numerosos pasajes de sus obras, son fruto del abandono de su intimidad, de su yo real y verdadero, de la vía mística y religiosa a que éste le llevaba.

Efectivamente, tras la crisis del 97, Unamuno se entregó a satisfacer su ansia de popularidad, abandonando la vía mística a la que se sintió llamado. Durante los meses inmediatos a la crisis una terrible lucha debió operarse en su ánimo: el yo y Dios, el ansia de ser famoso y el deseo de entregarse a una vida religiosa, debieron luchar en su alma. Y, por fin, el primero venció al segundo. Claro que no totalmente. El anhelo de inmortalidad ocultó inconscientemente su anhelo de sobrevivir en la historia. Entregado a esta ficción vivió, salvo algún mínimo retroceso, hasta los años del destierro. La crisis que se fraguó en Fuerteventura, estalló en París y le enfrentó nuevamente con el problema de su vida, el "problema de la personalidad", el de si era el que aparecía a los demás o, en otras palabras, si el Unamuno de la leyenda, el de la historia, era el verdadero Unamuno; es decir, si habría sido sincero o no en sus escritos.

Unamuno no llegó a contestar en forma taxativa y precisa a estas preguntas. Sin embargo, nosotros podemos inferirlo fácilmente por lo que conocemos. Don Miguel reconoció en su fuero interno que se había engañado y, por ello, la labor a que se entrega con más ahinco durante esta época es precisamente esa de poner de acuerdo al Unamuno histórico y el íntimo. Recordemos la solución que da en *Cómo se hace una novela;* en este relato —"el más entrañado y dolorido que me haya brotado del hondo del alma", dice en 1933— soluciona el problema mediante la vuelta a la "niñez eterna", aquella época en que, por no existir historia, tampoco existían los problemas planteados por ésta. Llega así a una concepción mística, es decir, ahistórica de la realidad, donde lo importante es Dios y no sus manifestaciones, siendo la personalidad una de ellas, sin mayor importancia que las demás. Por eso, puede decir que la historia —y la personalidad es histórica más que nada— es el pensamiento de Dios.

La conclusión a que acabamos de abocar nos pone en guardia. Si, efectivamente, Unamuno se había engañado, si su yo superficial no responde al profundo, esto quiere decir que ha sido insincero, por lo menos durante esos años de su vida. No lo es, desde luego; pues, aunque se nos ha presentado como no era, es por haberse antes engañado a sí mismo. El ha sido su primera víctima. No podemos tacharle de insincero; sino, por el contrario, reconocer que su sinceridad excesiva, exagerada, le ha llevado al engaño, a la falta de veracidad. Unamuno es un escritor sincero, pero no veraz.

La causa de esta falta de veracidad hay que ir a buscarla en los años anteriores a su crisis de 1897. Por aquellos años, aquellos en que blandió por primera vez sus armas en la palestra pública, su vanidad había sido herida, los desengaños le espolearon, el éxito no llegó tan pronto como él deseaba; sus conciudadanos de Salamanca no le admiraban como él quería, y todo ello actuaba como un acicate irreprimible sobre

ese terrible yo por el que muero
y que mi mundo en derredor encona.

(RSL, 256)

Su deseo de triunfar le llevó a la gesticulación, a las actitudes exageradas, al grito también y a la forja de esa personalidad original y única, que constituye la "máscara" de su autenticidad real, magníficamente expresada y elaborada en su doctrina del quijotismo como ideal personalístico de conducta.

Por otra parte, su temperamento religioso, deseoso de eternidad y de sinceridad, reaccionaba contra toda esta comedia. Y ello le condujo a la crisis que brotó en esa hermosa noche de marzo de que nos habla Corominas. No sabemos lo que Unamuno pensó en los tres días que estuvo encerrado en el convento, pero es seguro, porque él nos lo ha dicho, que la lucha se desarrolló entre el hambre de notoriedad y la fe sencilla de la infancia. Por eso, se entregó a las prácticas religiosas más rutinarias; pero, al poco tiempo, ese "yo enconado" por la vanidad y el estímulo de la fama literaria se impuso, como más fuerte, por encima de todo lo demás. Unamuno, una vez más, fue sincero. De los impulsos que anidaban en su corazón, no hizo más que seguir el más fuerte. Esta actitud era sincera, aunque engañosa. Tenía demasiado encima su problema para poder ver claro en él; sólo los años del destierro le depararon la distancia suficiente para poder enfrentarse de nuevo con el problema de su alma.

Hoy es fácil decir que Unamuno era un hipócrita, que era un temperamento religioso que "hizo literatura de su dolor", pero a él no le resultaba tan fácil. Sin embargo, esto no justifica hablar de su insinceridad. Unamuno era un hombre dotado para el misticismo, que tuvo una "caída mística". Lutero y otros muchos reformadores religiosos también han tenido "caídas místicas" y esto no les hace cómplices de insinceridad. Ellos siguieron la parte peor de su naturaleza, pero sincera y hondamente. Unamuno también lo reconocía así cuando cita a San Pablo para hablarnos de su propio problema. "No hago el bien que quiero, sino el mal que no quiero hago." Por otra parte, todos nos hemos engañado alguna vez en la vida a nosotros mismos; otros lo han hecho durante toda su vida; no es extraño que a Unamuno le pasase algo parecido llevado del deseo de satisfacer una vanidad irreprimible.

La cuestión central en Unamuno no es, por tanto, la de la sinceridad, sino la que nos plantea el *yo;* su angustia y congoja no es el remordimiento de un hipócrita, sino el arrepentimiento por haber emprendido el camino de la vanidad y el del culto al yo social y literario, en lugar del de su propia alma y el acercamiento a Dios.

Este punto nos remite, pues, como los anteriores al tema de la personalidad y a su enigma.

5. El tema de la personalidad

Todos los rasgos estudiados anteriormente vienen a incidir, como hemos visto, sobre este de la personalidad. Sin temor a exagerar, podemos asegurar que este es el tema central de toda su obra. No se trata, pues, sólo de la actitud personal, del personalismo fácilmente observable a lo largo de sus escritos, sino más aún de que ese personalismo es el eje de su doctrina filosófica, que toda ésta gira bajo las variaciones y los puntos de vista más diversos, en torno a la afirmación y la problemática de la personalidad.

En su preocupación por ésta podemos observar dos aspectos muy distintos, que abarcan dos fases de su vida y, por tanto, de su evolución intelectual: el personalismo de los años de madurez y el problema de la personalidad en los de la vejez.

El personalismo de los años de madurez

La primera fase se originó a partir de la crisis de 1897 y toda ella está centrada en la forja del Unamuno de la leyenda, del que quería ser y no del que era. La fase de formación de éste dura hasta 1913, año de la publicación de su *Sentimiento trágico de la vida,* en que, ya con una concepción del mundo propia, se lanza a la actuación pública: a la expansión de su personalidad literaria, por un lado, y a su actividad política, por otro. La resultante psicológica de estos años es el egocentrismo; éste viene dado en forma de vanidad, en la necesidad de ser aplaudido y escuchado por un público universal, más que exclusivamente español. "Piensa cuando escribas —dice (124)—, ya que escribir es tu acción, en el público universal, no en el español tan sólo, y menos en el español de hoy." De cómo surgió esta necesidad de aplacar una vanidad insatisfecha y de la lucha constante que mantuvo en su surgimiento con los motivos religiosos hemos hablado ya larga-

---

(124)   E., I, 238.

mente. También sabemos que la necesidad religiosa no llegó nunca a morir y muy frecuentemente rebrota en sus escritos bajo forma directa de preocupación por los temas religiosos o de modo indirecto como angustia y soledad. Por eso el resultado de estos años de formación es una concepción del mundo cuyo eje está constituido por el conflicto y, como más adelante veremos, por una verdadera neurosis. Esta concepción de tipo conflictual origina su "sentimiento trágico de la vida", cuya esencia consiste en la contradicción, en la guerra constante entre la razón y la fe, la inteligencia y la vida, el pensamiento y el sentimiento, el corazón y la cabeza, pues sólo de esa lucha íntima, de ese abrazo trágico entre los opuestos surge la vida verdadera y la verdadera fe, consuelo en la desesperación, sacado de la desesperación misma.

Esta lucha, esta guerra incesante por conseguir lo que queremos, constantemente emprendida y fracasada, reanudada, sin embargo, contra toda evidencia, es la que Unamuno mantiene durante todos estos años para hacerse valer. Se trata de una lucha por creer en la inmortalidad personal, la perpetuación en la otra vida, pero también en ésta, mediante la supervivencia en la historia, en la memoria de los hombres y de la humanidad. En esta aspiración egocéntrica de sobresalir por encima de todos y de todo (125) hay un deseo casi satánico de suplantación de Dios por el "yo". Este yo identificado con una voluntad casi divina, puesto que es capaz de crear de la nada, trata no sólo de crear —la fe es creación— la vida eterna, sino también a nosotros mismos, nuestra propia personalidad superior y original. Se observa en todo esto un afán nietzscheano de emular al "superhombre" del filósofo teutón y de aquí la lucha que Unamuno mantuvo en estos

---

(125)   He aquí una cita significativa, como prueba de otras muchas que se pueden encontrar semejantes: "Hay veces en que he deseado —así Dios no me castigue por ello— quedar de pronto sordo y ciego y dotado de una voz dominadora como el trueno, resonante por sobre la gritería de las más encrespadas muchedumbres, y hablar, hablar y hablar, reposada y fuertemente, palabra a palabra, con acento señorial, y que vayan cayendo mis d'chos, mientras en medio del chillar de las gentes me envuelve y protege el santo silencio" (E., I, 678).

años entre lo que era y lo que quería ser, y cómo siempre pedía que se le juzgase, y con él a todos los hombres, más por lo que quería ser que por lo que era.

Todo esto está en relación con la preocupación por el sentido de la personalidad que se observa ya en estos años en varios pasajes de sus obras; es muy clara, sobre todo, la referencia que hace en 1906: "cabe, en rigor, sostener que cada uno lleva dentro de sí muchos hombres, más por lo menos dos: un yo profundo, radical, permanente, el que llaman ahora muchos *subliminal* —de debajo del *limen* o nivel de conciencia—, y otro yo superficial, pegadizo y pasajero, el *supraliminal*" (126). Unamuno identifica el primero, el yo profundo —y he aquí una curiosa inversión de términos— con el yo ideal, es decir, con el que queremos ser, con el histórico, el soñado por nosotros. "Lo más propio, lo más íntimo, lo más profundo de uno no es lo que es, sino lo que quiere ser" (127) y ya antes en 1905 se había dicho a sí mismo: "Te debe importar poco lo que eres; lo cardinal para ti es lo que quieras ser. El ser que eres no es más que un ser caduco y perecedero, que come de la tierra y al que la tierra se lo comerá un día; el que quieres ser es tu idea de Dios, Conciencia del Universo: es la divina idea de que eres manifestación en el tiempo y en el espacio. Y tu impulso querencioso hacia ese ser que quieres ser no es sino la morriña que te arrastra a tu hogar divino" (128).

"Muchas veces —nos dice Unamuno (129)— tenemos a un escritor por persona real y verdadera e histórica por verle de carne y hueso, y a los sujetos que finge en sus ficciones no más sino por de pura fantasía, y sucede al revés, y es que esos sujetos lo son muy de veras y de toda realidad y se sirven de aquel otro que nos parece de carne y hueso para tomar ellos ser y figura ante los hombres." Lo mismo ocurre con el ideal soñado por nosotros y lo real que en nosotros habita. Porque nosotros somos un sueño de nosotros mismos. Y este

(126)   E., I, 859.
(127)   OC., IV, 754.
(128)   E., II, 109.
(129)   Ibid., 361.

sueño que de nosotros mismos hacemos, el ideal, lo que queremos ser, es más importante que nuestro yo real verdadero, es decir, que lo que somos; y por él seremos juzgados.

O para decirlo con sus palabras: "Este, el que uno quiere ser, es en él, en su seno el creador, y es el real. Y por el que hayamos querido ser, no por el que hayamos sido, nos salvaremos o perderemos. Dios lo premiará o castigará a uno a que sea por toda la eternidad el que quiso ser." Y añade: "El hombre más real, *realis,* más *res,* más cosa, es decir, más causa —sólo existe lo que obra—, es el·que quiere ser o el que quiere no ser, el creador. Sólo que este hombre que podríamos llamar al modo kantiano, nouménico, este hombre volitivo e ideal —de idea, voluntad o fuerza—, tiene que vivir en un mundo fenoménico, aparencial, racional, en el mundo de los llamados realistas. Y tiene que soñar la vida que es sueño" (130). Idea que ya encontramos expuesta en *Vida de don Quijote y Sancho,* al comentar los versos de Calderón sobre "La vida es sueño", pero añade algo que no está aquí, y es que si efectivamente nosotros somos los soñadores de nuestra vida, también es posible que nosotros seamos un sueño de Dios. Y se lo pregunta: "¿Será, Dios mío, que nos estás soñando? ¿Seremos sueño, sueño tuyo, los soñadores de la vida?" (131).

Esta doctrina se halla conectada con ese peculiar pensamiento suyo que confunde la ficción y la realidad, más aún, que afirma la superioridad del personaje de ficción sobre su creador, pues en éste se revela uno de los caracteres, quizá el más importante de la realidad humana: el estar hecha de la misma madera que los sueños, según la cita de Shakespeare. La significación personal que esta superioridad del personaje novelesco tiene para Unamuno sólo puede adivinarse a la vista de su único y exclusivo afán: alcanzar la inmortalidad, pues los personajes de novela pueden soslayar lo que es inexcusable para el hombre, el perder un día su vida en brazos de la muerte. El personaje no muere y, al ser una reencarnación de su creador, según Unamuno, tampoco éste, al

(130)   TN., 14-16.
(131)   E., II, 358.

morir, muere del todo, pues algo de sí mismo seguirá existiendo reencarnado en sus personajes, volviendo a vivir, a ser,
cada vez que ellos tornen a cobrar vida en la de sus lectores.
Por eso trata de hacer personaje de novela de sí mismo, originando esa "máscara" de que hablábamos al ocuparnos del
superego y la sinceridad unamunianos.

Esta "doctrina del sueño" o de la ficción, emparentada con
el voluntarismo creador, alimenta su ideal quijotesco. Se trata, en el fondo, de una justificación para creer en dicho ideal,
es decir, en el sueño que él se había forjado de sí mismo para
ser aplaudido y escuchado, para inmortalizar al menos su
nombre. Unamuno trata de convertirse en un Dios para consigo mismo y desde luego representa ese papel con sus criaturas, y así lo reconoce Julián Marías, al decir que "necesitaba
unas existencias respecto de las cuales fuese superior, de
modo que de él recibiesen vida y muerte, lo que equivalía a
ponerse él, siquiera figurativamente, por encima de éstas, a
salvo, pues, de su angustia. En el fondo, de lo que se trataba
era de representar, respecto a sus criaturas, el papel de Dios
para con él mismo, Unamuno" (132).

La satisfacción de la vanidad y con ella el egocentrismo
más violento están en la base de esta actitud. Pero Unamuno
deja la puerta abierta, una última duda no puede arrancar
de su espíritu. Por eso dice: "Tú, Dios de mi sueño"..., "nos
diste el ansia de renombre y fama, como sombra de tu gloria;
pasará el mundo; ¿pasaremos con él también nosotros, Dios
mío?" Y se pregunta: "¿Qué será de mi Universo todo, qué
será de nosotros, qué será de mí cuando Tú, Dios de mi vida,
despiertes? ¡Suéñanos, Señor! Y ¿no será tal vez que despier-
tas para los buenos cuando a la muerte despiertan ellos del
sueño de la vida? ¿Podemos acaso nosotros, pobres sueños soñadores, soñar lo que sea la vela del hombre en tu eterna
vela, Dios nuestro? ¿No será la bondad resplandor de la vigilia
en las oscuridades del sueño? (133).

Y no son estas sus únicas dudas, pues si él, "frente a las

(132)   MU., 37.
(133)   E., II, 357-8.

negaciones de la *lógica* que rige las relaciones aparenciales de las cosas, alza la afirmación de la *cardíaca* que rige los toques sustanciales de ellas" (134), no puede sustraerse a las críticas de la razón. Estas levantan esa "duda de pasión" que "es el eterno conflicto entre la razón y el sentimiento, la ciencia y la vida, la lógica y la biótica" (135), pues "razón y fe son dos enemigos que no pueden sostenerse el uno sin el otro. Lo irracional pide ser racionalizado y la razón sólo puede operar sobre lo irracional. Tienen que apoyarse uno en otro y asociarse. Pero asociarse en lucha" (136).

Y de estas dudas surge una continua contradicción, una guerra y agonía constantes, eje de toda su filosofía y su obra, como antes señalamos, que psicológicamente se manifiesta en la oposición entre "el que quisiera ser" y "el que es", entre su yo ideal y su yo real, es decir, en la falta de encuentro consigo mismo. Lo adivina Marías cuando dice que "su obra es un continuo progreso —o mejor regreso— hacia sí mismo".

La defensa de esta concepción dramática de la vida, en la que la guerra entre contrarios juega el papel central, está expuesta en su *Sentimiento trágico de la vida,* pero su ejemplificación la encontramos en la referencia constante de su obra a la lucha fratricida de Caín y Abel, que "es una de las más profundas intuiciones de los comienzos de la historia humana" (137). A ella dedica Unamuno el argumento de su novela *Abel Sánchez* y de su pieza teatral *El Otro.* La razón del odio entre hermanos, el origen de todas las grandes disensiones es la envidia. Pero la envidia no es más que la consecuencia natural de la pasión de sobrevivir. "De ella —nos dice— arranca la envidia, a la que se debe según el relato bíblico, el crimen que abrió la historia humana: el asesinato de Abel por su hermano Caín. No fue lucha por pan, fue lucha por sobrevivir en Dios, en la memoria divina. La envidia es mil veces más terrible que el hambre, porque es hambre espiritual" (138).

(134)   E., II, 299.
(135)   Ibid., 827.
(136)   Ibid., 830.
(137)   E., I, 452.
(138)   E., II, 778.

La pasión de sobrevivir en pugna es, pues, el origen de todos los odios y las rencillas entre los hombres, pero también de las que se originan dentro de nosotros. Pues en el interior del pecho habitan también Caín y Abel. Para Unamuno, Abel era el deseo religioso de llegar a alcanzar a Dios; Caín, la pasión por sobrevivir "en el teatro que es la historia de la humanidad". Ambos en perpetua lucha, en constante guerra, crearon esa oposición de que hemos hablado, esa falta de encuentro con él mismo, que es el resorte psicológico de toda su obra y que no deja de producir también la angustia y la congoja que constantemente le impulsa, pero a su vez creadora de noble inquietud espiritual.

El intento de solución a este conflicto dio lugar a la enorme riqueza espiritual de Unamuno. Entre estos intentos, el primero fué una racionalización del conflicto, que originó su "sentimiento trágico de la vida", por un lado, y su doctrina del "cristianismo agónico" (o "catolicismo popular español"), por otro; todo ello ampliamente revestido por un ideal de acción quijotesco que era la "máscara" ocultadora de los verdaderos motivos psicológicos que alentaban el conflicto. Junto a éste se dieron también otros intentos como el afán regresivo de un retorno a la madre, el humorismo de última hora y el impulso catártico de las poesías de su *Cancionero.*

El problema de la personalidad en los años de vejez

Su inquietud espiritual se agrava en los años del destierro, planteándole de forma definitiva e irrevocable el problema de la personalidad. Con esto pasamos a otra fase en que el personalismo toma nuevo significado; deja de indicar egocentrismo y pasa a hacerse problema de sí propio. Esta es la fase que corresponde a los años de vejez; en ella Unamuno toma conciencia de su personalismo como un problema a resolver, como el más importante problema del "juego de nuestra vida". O según él dice: "El problema más hondo de nuestra novela, de la tuya, Felipe, de la mía, de la de don Sandalio, es un problema de personalidad, de ser o no ser, y no de comer o no comer, de amar o de ser amado" (139). Y hablándonos de las novelas incluidas con *San Manuel Bueno, mártir,* se pregunta: "¿Por qué he reunido en un volumen, haciéndoles correr la misma suerte, a tres novelas de tan distinta, al parecer, inspiración? ¿Qué me ha hecho juntarlas?" Y poniéndose a pensar "a redromano o a posteriori en ello", cae en la cuenta de que a todos los personajes de esas novelas "lo que les atosigaba era el pavoroso problema de la personalidad, si uno es lo que es y seguirá siendo lo que es" (140).

Y en unas declaraciones donde habla de su drama *El Otro,* dice: "Me ha brotado de la obsesión, mejor que preocupación, por el misterio —no problema— de la personalidad; del sentimiento congojoso de nuestra identidad y continuidad individual y personal" (141).

El enfrentamiento con el problema se realiza a partir de su experiencia de Fuerteventura, cuando

vuelve el que pudo ser y el que el destino
sofocó en una cátedra en Castilla,

y Unamuno toma conciencia de "lo que pude haber sido y dejé de ser, las posibilidades que he ido dejando en el camino de mi vida" (142). Se da cuenta ahora con mayor fuerza que nunca de la duplicidad de tendencias que en él anidan, al sentirse desterrado. Nos dice Sánchez Barbudo: "La más íntima experiencia de su destierro debió ser ésta de que nos habla en el mismo libro, la de haberse sentido personaje de novela, haberse de pronto sorprendido haciendo el papel de desterrado" (143).

Podemos recordar cómo Unamuno aceptó complacido su destierro, pues probablemente ello le pareció muy concorde con el ideal quijotesco a que siempre había aspirado. Pero, a pesar de su aparente rasgo de valentía, él no debía sentirse muy identificado con los motivos del destierro y de aquí ese sentimiento de estar representando un papel, de escribir una

---

(139)   SMB., 92.
(140)   Ibid., 19.
(141)   *Indice literario.* Madrid, 1933; I, p. 26.
(142)   FP., 89-90.
(143)   EUM., 121.

novela, que le invadía cada vez de forma más obsesiva. De esta obsesión por lo que en su vida —sobre todo ahora en su destierro (144)— había de comedia brotó su documento autobiográfico *Cómo se hace una novela.* Ya sabemos que en ella se plantea la lucha entre dos Unamunos que eran cada día más inconciliables: el histórico, el de la leyenda, el de la novela o comedia que de sí había hecho y el real, el íntimo y profundo, que llevaba sus angustias y congojas por el mundo.

Hasta el presente don Miguel había defendido la guerra, la agonía perpetua entre uno y otro. Pero había llevado su dualismo hasta un grado insostenible bajo la pretensión de sinceridad. Por primera vez, cobra conciencia de su duplicidad de tendencias y de la necesidad de reducir, en la medida posible, la una a la otra. Frente a la lucha Unamuno invoca por vez primera la paz, frente a la contradicción la armonía y frente a la discontinuidad la unidad. Así lo reconocemos en varios pasajes: "Creer es luchar. Pero esta lucha, esta automaquía, ¡cómo cansa! Y para mantener la guerra hace falta en ella, dentro de ella, paz... ¡Paz, sosiego, descanso! Sueño para alimentar la vida" (145). Y también por boca de San Manuel Bueno: "¡Qué ganas tengo de dormir, dormir, dormir sin fin, dormir por toda una eternidad y sin soñar!, ¡olvidando el sueño!" (146). Pero su afán de unidad frente a la contradicción anterior se expresa mejor que en ningún otro sitio en ese grito de uno de sus personajes teatrales, *El Otro,* que lleva también dentro de sí, como el propio Unamuno, a Caín y Abel en lucha fratricida: "Y es cosa tremenda no poder ser uno, uno siempre y el mismo, uno... ¡Nacer solo para morir solo! ¡Morir solo, solo, solo!... Tener que morir con otro, con el otro, con los otros... Me mata el otro, me mata..." (147).

---

(144) "Me dio la ocurrencia —dice— ... de ponerme en una novela que vendría a ser una autobiografía". "Una novela en la que quería poner la más íntima experiencia de mi destierro, crearme, eternizarme bajo los rasgos de desterrado y proscrito. Y ahora pienso que la mejor manera de hacer esa novela es contar cómo hay que hacerla". (CHN., 64 y 72.)
(145) VC., 50.
(146) SMB., 51.
(147) TC., 843.

La solución que dio al problema ya la conocemos. El afincamiento en la tierra madre, en Hendaya, sobre su suelo vasco, a la vista de España, le acercó al principio y al fin natural de toda existencia: la madre, en la que recobramos nuestra niñez, edad dorada en que el tiempo desaparece y entramos en la eternidad divina. Si esta es la solución que da en *Cómo se hace una novela,* no lo es menos en *El Otro,* donde se presume que el Ama guiada, iluminada por el amor maternal, sabría distinguir a *el otro* de su hermano; pero cuando se le pregunta "¿quién era?", ella contesta: "¡Lo he olvidado! La compasión, la caridad, el amor olvidan. Yo quiero tanto a Caín como a Abel, al uno tanto como al otro. Y quiero tanto a Caín como a un Abel en potencia. Y quiero tanto a Abel como a un posible Caín, como a un Caín en deseo..." (148). El mismo intento se advierte en un corto diálogo de *Sombras de sueño:*

"JULIO MACEDO.—...me gustaría volver al seno materno, a su oscuridad, y su silencio y su quietud...

ELVIRA.—¡Diga, pues, que a la muerte!

JULIO MACEDO.—No, a la muerte no; eso no es la muerte. Me gustaría 'des-nacer', no morir..." (149).

Esta solución está íntimamente ligada a su doctrina voluntarista del sueño y de la personalidad como creación exclusiva de nosotros mismos. A través de la madre somos llevados a Dios, donde la historia no existe; entonces, ¿qué significado tiene ésta y con ella la personalidad que es también una manifestación histórica?

No es muy explícito Unamuno en manifestaciones que aclaren este punto concreto, pero sí tenemos los datos suficientes para asegurar que su posición es exactamente inversa a la anterior. Unamuno ha centrado su preocupación en torno al sentimiento divino y se despreocupa de la historia, del sueño y de la personalidad, en suma. "Desde los días del exilio —nos dice Granjel— quiso Unamuno, aunque no pretendo

---

(148)   Ibid., 851.
(149)   TC., 748.

afirmar que lo consiguiera, dejar de creer en la realidad de la vida para pensar en su relatividad" (150).

Efectivamente, los términos se invierten ahora en él. Deja de creer que el yo ideal o histórico, "el que se quiere ser", sea el profundo y el importante frente al yo real o "el que se es". Se empieza a preocupar más que antes del negocio de su salvación, pues —como él dice por esta época (151)— "sólo se pone uno en paz consigo mismo, como don Quijote, para morir". Y toma más conciencia que antes de un tema que siempre ha estado presente en toda su obra, de que la vida es comedia, "el mundo es teatro", como dice el subtítulo de *El hermano Juan*. Pero esta vez, no como antes, creyendo que no hay más que esta vida y que, por tanto, es la comedia y el teatro, es nuestra personalidad legendaria o histórica, lo único importante, sino por el contrario dándose cuenta de la relatividad de la comedia y el teatro, tomando conciencia de que esta vida es un tránsito hacia una realidad absoluta. Nos lo dice por boca del Padre Teófilo, cuando le pregunta Juan, convertido en religioso: "Diga, en secreto; fuera del juego, fuera del teatro, ¿qué hay?... ¿No responde? Fuera del teatro, ¿qué hay?" Y le contesta el padre: "¡La empresa y el empresario... de la Divina Comedia!" (152). Por lo demás, en toda la obra se advierte el asco que don Juan se tiene a sí mismo por encontrarse siempre representando un papel, asco que Unamuno dirige a sí mismo en aquel célebre soneto "Don Juan de las ideas":

> Don Juan de las ideas, que cortejas
> todas las teorías, libertino
> del pensamiento, eterno peregrino
> del ansia de saber, sé que te quejas
> ... ...

---

(150)   RU., 347.
(151)   El., I, 948.
(152)   TC., 946.

No amor a la verdad, sino lujuria
intelectual fue siempre el alimento
de tu mente, lo que te dió esa furia
de tu mente, lo que te dio esa furia
mas ella se vengó de tal injuria
haciendo estéril a tu pensamiento (153).

Pues una cosa es que "en este gran teatro del mundo cada cual nace condenado a un papel y hay que llenarlo, so pena de vida" (154), y otra cosa es hacer teatro dentro del teatro mismo, inventar papeles, meter "morcillas", declamar fuera de tono y todo para "¡ser mirado, ser admirado y dejar nombre!"

Pero Unamuno, al tomar conciencia de esta farsa, deja de hacer teatro, interrumpe la representación de su papel, el fingido, el soñador, el histórico o legendario, el de la novela de su vida. El centro de su interés deja de ser ese yo literario que se había forjado de sí mismo para instalarse en el auténtico problema de la personalidad a la vista de la nueva realidad descubierta. Por ello su actitud no es ya egocéntrica, y éste es quizá el rasgo de mayor importancia dentro de su nuevo cambio. Podemos estar seguros de que la estancia en Fuerteventura le deparó una experiencia mística en la que tuvo ocasión de entrar en contacto con algún aspecto de Dios. Esto explica su nueva actitud y sus nuevas opiniones. Unamuno experimentó la realidad divina durante el tiempo que permaneció en la isla. Con ello su personalidad histórica dejó de ocupar el primer plano que había ocupado en toda su obra anterior para quedar ligada a lo que constituye el tema central de su nueva meditación: la significación de la personalidad ante la nueva experiencia religiosa. Esta es la razón de que se haga, por primera vez, auténtico problema de la personalidad, de "ser o no ser", como nos dice.

Todas las obras de esta época están escritas sobre la misma preocupación. La primera manifestación de ella es el interés por poner de acuerdo a los dos personajes que vivían en Una-

_____

(153)   RSL., 226-7.
(154)   TC., 879.

muno, de acabar con el dualismo que le atormentaba. Se advierte en *El Otro* y en *Sombras de sueño*. Después, se vuelve a plantear el significado de la personalidad en *El hermano Juan* y, sobre todo en *San Manuel Bueno, mártir,* y en *La novela de don Sandalio,* jugador de ajedrez. En la primera vuelve sobre el tema, tan debatido por él mismo, de la vida perdurable, en la que había dejado definitivamente de creer, si bien seguía manteniendo la figura histórica y literaria de don Miguel. Vuelve a surgir la cuestión de los dos Unamunos: el íntimo, el profundo, que no cree en la resurrección de la carne y el superficial, el literario, el que ve la gente y que ha mantenido siempre una lucha ficticia entre el querer creer y el no creer, entre la vida y la razón. Pero aquí ya no hay lucha de ninguna clase. Unamuno parece otra vez preguntarse cuál de los dos tendrá razón, aunque sin inquietarse mucho por ello. Del fondo del libro brota una honda raíz de esperanza, procedente quizá de las quietas aguas del lago que inspiró el relato, imagen, parece, de ese Dios impersonal en que, no cabe ya duda, Unamuno creía en los últimos años de su vida.

La lucha de esta época —la que describe en *San Manuel Bueno, mártir*— no es ya entre el querer creer y el no creer, sino entre un Unamuno histórico, abstracto, famoso, reconocido por las gentes y un Unamuno ahistórico, eterno, concreto, desconocido del público. El tema se plantea de nuevo en su obra de teatro *Sombras de sueño,* donde un personaje históricamente famoso, Tulio Montalbán, desaparece de su patria, se cambia el nombre por el de Julio Macedo y marcha a una isla alejada, donde nadie le conozca y poder olvidar su ser histórico; pero allí encuentra a una joven que ha leído en un libro su vida y su historia y se halla enamorada de él. Julio Macedo se enamora de ella, que le rechaza insistentemente, pues está enamorada otro, de Tulio Montalbán. Por fin, aquél revela su identidad y se despide para suicidarse; ella procura retenerle haciéndole ver su amor por él, pero nuestro hombre sabe que a quien quiere es a su yo histórico y legendario, no al eterno, al concreto, al de carne y hueso, es decir, a Julio Macedo; por eso huye y se hunde en el mar.

La mar —que ocupa un lugar central en toda la obra— es Dios, lo mismo que el seno materno de la muchacha que no ha sabido ver en él más que un personaje de leyenda y no una criatura divina. Es indudable, en este sentido, el acercamiento de Unamuno a Dios; recordemos lo que la mar significa en sus sonetos de Fuerteventura y podremos intuir cómo representa en esta obra la falta de historia, el reino de la eternidad.

En *La novela de don Sandalio* vuelve al tema de la personalidad en el sentido social de los distintos yos que podemos mostrar a los demás: lo que somos por dentro y lo que aparecemos siendo a los demás. Y la angustia parece volver otra vez a Unamuno cuando se pregunta "si somos más que ajedrecistas, o tresillistas, o tutistas, o casineros, o... la profesión, oficio, religión o deporte que quieras" (155). Es decir, si nuestro ser, el ser de nuestra personalidad, por supuesto, se agota en lo que aparecemos socialmente. En la tercera novela del libro, *Un pobre hombre rico o El sentimiento cómico de la vida,* parece optar por reírse de todo y, desde luego, el primero de sí mismo. A un personaje suyo le hace decir: "hay que cultivar el sentimiento cómico de la vida, diga lo que quiera ese Unamuno". Pero es posible que todo ello esté inspirado en una profunda filosofía del humorismo. "La risa lo purifica todo —dice—. No hay chiste inmoral porque si es inmoral no es chistoso; sólo es inmoral el vicio triste, y la virtud triste también. La risa está indicada para los estreñidos, los misantrópicos; es mejor que el agua de Carabaña. Es la virtud purgativa del arte, la catarsis que dijo Aristóteles, o Aristófanes, o quien la dijera" (156). La transcendencia para la personalidad de este humorismo nos es desconocida; con él parece que Unamuno empezaba a tomar a broma, en una genial superación de sí mismo, lo que había constituido el tema de toda su vida y toda su filosofía; así podía tomar conciencia mejor de la relatividad que constituía este mundo y con él su personalidad. Por otra parte, todos sabemos el

---

(155)   SMB., 92.
(156)   Ibid., 125.

efecto catártico y purificador del humorismo y es posible que
el papel más importante dentro de la psicología unamuniana
se realizase en este sentido. Unamuno lucha así, con buen
humor, frente a la obsesión que quería combatir.

En todo caso, a través de estas novelas se observa el cambio radical que ha dado en relación con su doctrina voluntarista del personalismo. Es sintomático reseñar que es en *La
novela de don Sandalio* donde, después de una admiración de
toda la vida, emite el primer juicio desfavorable hacia Schopenhauer. Es una característica de todas estas novelas el
haber desaparecido la identificación entre el yo y nuestra
figura social, entre la personalidad real y "el que se quiere
ser". Por el contrario, aparecen bien desligados el uno del
otro, como un problema a resolver; así ocurre en la obra de
teatro *El hermano Juan,* donde se tiene presente siempre que
"el mundo es teatro" y se trata de adivinar, de tantear por
todos los medios, qué hay fuera del teatro, más allá de la
representación.

Sin embargo, Unamuno no debió resolver nunca definitivamente el problema de la personalidad y probablemente murió con la íntima comezón que éste le deparaba. En *El Otro*
lo dice por boca del Ama: "¡El misterio! Yo no sé quién soy,
vosotros no sabéis quiénes sois, el historiador no sabe quién
es" (donde dice: "el historiador no sabe quién es", puede decirse: "Unamuno no sabe quién es"), no sabe quién es ningu-
no de los que nos oyen. Todo hombre se muere cuando el destino le traza la muerte, sin haberse conocido, y toda muerte
es un suicidio, el de Caín. ¡Perdonémonos los unos a los otros
para que Dios nos perdone a todos" (157).

La evolución unamuniana se nos aparece muy clara, después de todo lo examinado. En los años de madurez el fondo
psicológico de sus obras nos señala, indefectiblemente, un
monstruoso grado de egocentrismo y todos sus intentos doc-
trinales vienen originados por el afán de justificar éste racio-
nalizándolo. Más adelante sus experiencias místicas le enfren-

---

(157)   TC., 853-4.

tan con este factor y, en todas las obras de su última época, el problema central es el de la personalidad, en otras palabras, el del egocentrismo y la manera de escapar de él. Los intentos realizados en este sentido fueron varios, pero hemos de destacar por más importantes estos dos: la regresión hacia la figura mítica de la madre y el humorismo. El primero, más importante que ningún otro, ya señalado en diversas partes de esta obra, le llevó a un aspecto impersonal de la divinidad que dio a su religiosidad en esta época un tono místico, casi panteísta. De todo esto hemos de hablar en un capítulo especial dedicado a interpretar su religiosidad y examinar detenidamente sus relaciones con Dios.

CUARTA PARTE

LA INTERPRETACION PSICOLOGICA DE UNAMUNO

I. EL PERSONALISMO COMO RASGO CENTRAL DE SU PSICOLOGIA

1. *El tema del egocentrismo*

La interpretación psicológica que a continuación pretendemos realizar de la personalidad de Unamuno la haremos poniendo todos nuestros hallazgos anteriores a la luz de su sistema filosófico, de su pensamiento de madurez. Por un momento dejaremos de fijarnos en la evolución de sus ideas, como hemos hecho hasta ahora, para centrar nuestra atención en la culminación que esas ideas alcanzan a los cuarenta y ocho años. Esto nos permitirá adentrarnos en la psicología de la etapa central de su vida y nos dará nueva profundidad para comprenderle también más completamente en las restantes.

El personalismo en que, como hemos advertido, venían a caer todos los aspectos estudiados hasta ahora del hombre Unamuno, se acentúa aún más en los años de madurez. Esto aparecía ya claro en lo expuesto anteriormente, especialmente en lo que se refiere al tema de la personalidad, pero sólo es posible sacar las últimas consecuencias de ello estudiando en profundidad las implicaciones de su concepción filosófica, expuesta más sistemáticamente que en otro sitio en su libro *Del sentimiento trágico de la vida*.

La preocupación por la personalidad está ya sobradamente patente en lo dicho. Sin embargo, conviene subrayarla con algunas citas. Ya en 1905 se advierte en su ensayo *Soledad*, donde dice: "Cada día creo menos en la cuestión social, y en la cuestión política, y en la cuestión estética, y en la cuestión moral, y en la cuestión religiosa, y en todas las cuestiones que han inventado las gentes para no tener que afrontar resueltamente la única verdadera cuestión que existe: la cuestión humana, que es la mía, y la tuya y la del otro, y la de todos" (1). En el capítulo I *Del sentimiento trágico de la vida* adquiere este tema su exposición más clara. Empieza así: *"Homo sum; nihil humani a me alienum puto,* dijo el cómico latino. Y yo diría más bien: *nullum hominem a me alienum puto;* soy hombre, a ningún otro hombre estimo extraño. Porque el adjetivo *humanus* me es tan sospechoso como su sustantivo *humanitas,* la humanidad. Ni lo humano ni la humanidad, ni el adjetivo simple, ni el adjetivo sustantivo, sino el sustantivo concreto: el hombre. El hombre de carne y hueso, el que nace, sufre y muere —sobre todo muere—, el que come, y bebe, y juega, y duerme, y piensa, y quiere; el hombre que se ve y a quien se oye, el hermano, el verdadero hermano". Y añade un poco más adelante: "y este hombre concreto, de carne y hueso, es el sujeto y el supremo objeto a la vez de toda filosofía, quiéranlo o no ciertos sedicentes filósofos".

Hace, pues, de la personalidad no sólo el sujeto de toda filosofía, sino también el objeto de ella. Sin embargo, conviene incidir sobre el carácter egocéntrico de esta preocupación. En primer lugar, ya hemos visto que su atención no se dirige a la personalidad abstracta, sino a la encarnada en un individuo humano concreto. De esa forma su campo de estudio se restringe bastante, pero aún se restringe mucho más si somos capaces de observar que esta preocupación en torno al "hombre de carne y hueso" no es más que una justificación de su constante ocupación consigo mismo. Unamuno nunca salió de su propio círculo personal; todos los intentos que pudiera hacer por atender a algo que no fuera su propio y exclusivo yo fueron falsos. Toda su obra no es más que una ininterrumpida autobiografía, un constante autodiálogo. Nos lo dice (2) con frase de San Agustín: "Mihi quaestio factus sum". Y lo

---

(1)   E., I, 693-94.
(2)   CHN., 151-2.

comenta Julián Marías con estas palabras: "la primera persona designa aquí, a la vez, el sujeto y el objeto de la *quaestio;*
yo, yo mismo —no ese universal que llamamos *el* hombre—
soy problemático. Esta sería para Unamuno, aunque no lo
dice, la fórmula más certera y apretada de la filosofía, puesto
que afirma de ella que su sujeto y su supremo objeto es el
hombre mismo, el que nace y muere, el *yo* que es cada
cual" (3). Esta opinión la suscribe Ferrater Mora, para quien
"Unamuno critica a fondo la filosofía de los filósofos, mas sólo
porque ella le impide ver lo que son irremediablemente, aunque se empeñan en olvidarlo: hombres concretos, particulares, singulares, es decir, hombres de carne y hueso. La crítica
de la filosofía afecta tanto al pensamiento que pretende reducir lo ideal a lo idéntico como al modo de pensar que, tras
haber declarado que busca al hombre, exhibe sólo una existencia exangüe o una vida pagana. Pues tal modo de pensar
insiste en *la* vida y en *la* existencia, en vez de hablar de nuestra vida y nuestra existencia, "la mía, la tuya, la de otro cualquiera" (4). Y páginas más arriba llega a la conclusión de que
lo que mueve a esta filosofía del hombre concreto "es el interés —mejor, la obsesión— por ese *yo* que emerge una y otra
vez por encima de toda objetivación y de toda resignación" (5).

No se trata, por tanto, de la humanidad, ni de lo humano,
ni tan siquiera del hombre, en la obra de Unamuno, sino del
yo y su perpetuación indefinida. Y si no lo dice tan claramente
como nosotros en ningún lugar de su obra es —él nos lo asegura (6)— "para que no se confunda este yo concreto, cir-
cunscrito, de carne y hueso, que sufre de mal de muelas y no
encuentra soportable la vida si la muerte es la aniquilación
de la conciencia personal, para que no se le confunda con ese
otro yo de matute, el Yo con letra mayúscula, el yo teórico
que introdujo en la filosofía Fichte, ni aún con el Unico, también teórico, de Max Stirner". Pero se observa con mayor evi-

(3)   MU., 182.
(4)   J. FERRATER MORA: *Unamuno: Bosquejo de una filosofía.* Buenos Aires, 1957; p. 39.
(5)   Ibid., p. 65.
(6)   E., II, 754-55.

dencia, con insoslayable patencia, si examinamos los rasgos centrales de su pensamiento, como a continuación vamos a hacer.

La inmortalidad personal

Hemos visto a través de lo expuesto que la preocupación fundamental de toda la obra de Unamuno, aquella que recorre todas sus páginas de arriba abajo con tonos patéticos e inquietantes, es esta de la inmortalidad personal, la pervivencia de la conciencia individual tras de la muerte, la finalidad humana del Universo, como él la llama a veces. Lo certifica en 1905, cuando tras de considerar en su ensayo *Soledad,* a la "cuestión humana" como la más importante de todas, precisa que "la cuestión humana es la cuestión de saber que habrá de ser de mi conciencia, de la tuya, de la del otro y de la de todos, después de que cada uno de nosotros se muera" (7). Y en 1912 en el *Sentimiento* dice: "¿De dónde vengo yo y de dónde viene el mundo en que vivo y del cual vivo? ¿Adónde voy y adónde va cuanto me rodea? ¿Qué significa esto?"... "Y si miramos bien, verémos que debajo de estas preguntas no hay tanto el deseo de conocer un por qué como el de conocer el para qué: no de la causa, sino de la finalidad"... "Sólo nos interesa el por qué en vista del para qué; sólo queremos saber de dónde venimos para mejor poder averiguar adónde vamos" (8). Por esto dice que se trata "del único verdadero problema vital, del que más a las entrañas nos llega, del problema de nuestro destino individual y personal, de la inmortalidad del alma" (9).

Aquel principio activo que anima todo su pensamiento es, pues, el ansia de perduración que el hombre tiene, el "hambre de inmortalidad" para decirlo con el título del capítulo III del *Sentimiento.* Pero insistamos en que no se trata sólo del conato de perdurar, como él dice citando a Spinoza en las pro-

---

(7)   E., I, 694.
(8)   E., II, 757-58.
(9)   Ibid., 732.

posiciones VI y VII de la parte tercera de su *Etica,* sino de la inmortalidad de su concreto y específico *yo.* Después de buscar en Spinoza el punto de partida que fundamenta intelectualmente su afán de inmortalidad, Unamuno nos aclara que él necesita alcanzar la garantía de la inmortalidad porque le es necesaria para su vida pasajera. "Yo necesito la inmortalidad de mi alma; la persistencia indefinida de mi conciencia individual; la necesito; sin ella, sin la fe en ella, no puedo vivir, y la duda, la incredulidad de haber de lograrla me atormenta" (10). Y en el *Sentimiento* sigue diciendo más claramente aún si cabe: "Más, más y cada vez más quiero ser yo, y sin dejar de serlo, ser además los otros, adentrarme en la totalidad de las cosas visibles e invisibles, extenderme a lo ilimitado del espacio y prolongarme a lo inacabable del tiempo. De no serlo todo y por siempre, es como si no fuera, y por lo menos serlo todo yo, y serlo para siempre jamás. Y ser todo yo, es ser todos los demás. ¡O todo o nada!" (11). Y añade: "¡Ser, ser siempre, ser sin término! ¡Sed de ser, sed de ser más! ¡Hambre de Dios! ¡Sed de amor eternizante y eterno! ¡Ser siempre! ¡Ser Dios!" (12). Pero aún ha de añadirse: "No quiero morirme, no; no quiero, ni quiero quererlo; quiero vivir siempre, siempre, siempre, y vivir yo, este pobre yo que me soy y me siento ser ahora y aquí, y por esto me tortura el problema de la duración de mi alma, de la mía propia." "Yo soy el centro de mi Universo, el centro del Universo, y en mis angustias supremas grito con Michelet: '¡Mi yo, que me arrebatan mi yo!' " (13). "En una palabra —concluye él mismo páginas más adelante—, que con razón, sin razón o contra ella, no me da la gana de morirme" (14).

El interés de Unamuno, en este punto, se centra, pues, en torno a la cuestión de su concreta y específica inmortalidad; nunca en el problema general y humano de la inmortalidad. Un nuevo índice de la ya señalada actitud egocéntrica y, más

---

(10)   E., I., 915.
(11)   Ibid., II, 764.
(12)   Ibid., 765.
(13)   Ibid., 770.
(14)   Ibid., 846.

aún, si caemos en la cuenta de que la pretendida inmortalidad trata de conseguirla por la fe, que en él adquiere, como ya vimos, un marcado carácter voluntarista. "Y así —dice—, creer en la inmortalidad del alma es querer que el alma sea inmortal, pero quererlo con tanta fuerza que esta querencia, atropellando a la razón, pase sobre ella" (15). Sin embargo, la razón no se deja avasallar, pues "la fe, la vida, no se puede sostener sino sobre razón." Pero "la razón a su vez no puede sostenerse sino sobre fe, sobre vida, siquiera fe en la razón" (16). Así surge "una lucha entre la razón y la vida, aquélla empeñada en racionalizar a ésta, haciéndola que se resigne a lo inevitable, a la normalidad; y ésta, la vida, empeñada en vitalizar a la razón obligándola a que sirva de apoyo a sus anhelos vitales" (17). "Y de este choque, de este abrazo entre la desesperación y el escepticismo, nace la santa, la dulce, la salvadora incertidumbre, nuestro supremo consuelo." Pues, efectivamente, en esta lucha entre razón y vida, en esta paradójica *agonía,* en este *sentimiento trágico,* encuentra Unamuno el consuelo y el sentido de su vida, aunque naturalmente este interno dualismo le incapacita para una solución fecunda y sugestiva de los problemas filosóficos que le atormentaban.

Pero no se resigna a morir del todo. Y si la razón le niega la inmortalidad del alma, él no duda en perseguir la inmortalidad "aparencial" del nombre y de la fama, la sobrevivencia en la historia y en la memoria de los hombres, el teatro de la humanidad. "Cuando las dudas nos invaden y nublan la fe en la inmortalidad del alma, cobra brío y doloroso empuje el ansia de perpetuar el nombre y la fama, de alcanzar una sombra de inmortalidad siquiera." "Una vez satisfecha el hambre y ésta se satisface pronto, surge la vanidad, la necesidad —que lo es— de imponerse y sobrevivir en otros. El hombre suele entregar la vida por la bolsa; pero entrega la bolsa por la vanidad. Engríese a falta de algo mejor, hasta de sus

---

(15)   Ibid., 833.
(16)   E., II, 831.
(17)   Ibid., 833.

flaquezas y miserias y es como el niño, que, con tal de hacerse notar, se pavonea con el dedo vendado" (18).

La vanidad aparece en nuestro vasco como un sustituto del afán de pervivencia, del ansia de sobrevivirse, tomando así los medios por los fines, la apariencia por sí misma y no como simple indicio de realidad. "El parecer algo —escribe en la misma página— conducente a serlo acaba por formar nuestro objetivo. Necesitamos que los demás nos crean superiores a ellos, para creernos nosotros tales, y basar en ello nuestra fe en la persistencia, por lo menos en la de la fama." Y hasta busca la soledad para que nadie le haga sombra en ese deseo de ser famoso, pues "cuanto más solo más cerca de la inmortalidad aparencial, la del nombre, pues los nombres se menguan los unos a los otros" (19).

Por tanto, la vanidad es raíz de la envidia, del hambre espiritual; envidia que se extiende no sólo a los contemporáneos que con nosotros luchan por alcanzar la preeminencia ante el público universal, sino también al pasado y al porvenir. "Peleamos con los muertos —dice Unamuno—, que son los que nos hacen sombra a los vivos. Sentimos celos de los genios que fueron y cuyos nombres, como hitos de la Historia, salvan las edades", pues "el cielo de la fama no es muy grande, y cuantos más en él entren, a menos toca cada uno de ellos". Y exclama con Rodrigo Arias: "¡Muera yo, viva mi fama!" "Y este erostratismo, ¿qué es en el fondo sino ansia de inmortalidad, ya que no de sustancia y bulto, al menos de nombre y sombra?" (20).

En resumen: la inmortalidad personal, la perpetuación de la conciencia individual en la otra vida, es el anhelo fundamental de la obra de Unamuno, y si este anhelo nos es negado por la razón, la perpetuación en el mundo de la Historia, por la sobrevivencia del nombre y de la fama, mediante la consecución de una inmortalidad "aparencial" —nombre y sombra, como él dice—. No insistamos; es el *yo,* con su vani-

---

(18) Ibid., 776.
(19) Ibid., 778.
(20) Ibid., 779.

dad insatisfecha quien prevalece en toda esta meditación unamuniana.

El problema de Dios

En lo que toca a esta nueva cuestión tropezamos con las mismas dificultades que encontrábamos al tratar del tema de la inmortalidad personal. Si entonces la razón se oponía a nuestro anhelo no menos ocurre ahora, cuando se trata de demostrar la existencia de Dios o de definir su esencia. Lo dice en su ensayo *Mi religión* de 1907: "Confieso sinceramente que las supuestas pruebas racionales —la ontológica, la cosmológica, la ética, etc.—, de la existencia de Dios no me demuestran nada, de que cuantas razones se quieren dar de que existe Dios me parecen razones basadas en paralogismos y peticiones de principio"... "Nadie ha logrado convencerme racionalmente de la existencia de Dios, pero tampoco de su no existencia; los razonamientos de los ateos me parecen de una superficialidad y futileza aún mayores que los de sus contradictores" (21). Y vuelve a confirmárnoslo en 1912 en *Del sentimiento trágico:* "Y ahora viene de nuevo la pregunta racional, esfíngica —la Esfinge es, en efecto, la razón— de: ¿existe Dios?... He aquí algo insoluble y vale más que así sea. Bástale a la razón el no poder probar la imposibilidad de su existencia" (22).

Sin embargo, si la razón nada nos dice a este respecto, la fe nos exige creer en su existencia y recordemos una vez más que la fe crea y construye. Por eso dice: "Y si creo en Dios o, por lo menos, creo creer en El, es, ante todo, porque quiero que Dios exista y, después, porque se me revela, por vía cordial, en el Evangelio y a través de Cristo y de la Historia. Es cosa de corazón" (23).

Esta vía cordial de acceso a la divinidad está afectada en Unamuno por su anhelo de inmortalidad y se halla en función

---

(21)   Ibid., 371-72.
(22)   Ibid., 895.
(23)   Ibid., 372.

de éste. Llevado, pues, de la idea de que "el sentimiento de divinidad no es sino el mismo oscuro y naciente sentimiento de personalidad vertido a lo de fuera" (24), no trata de buscar a Dios *por ser Vos quien sois,* como reza el acto de contricción, por ser El la Suma Sabiduría, la Suma Belleza o el Sumo Bien, Aquél que es principio y fin de todo lo creado, sino porque Dios será el garantizador de su inmortalidad personal, el poder que le proporcionará vida eterna y verdadera, el principio que dará cumplimiento a su afán de fama imperecedera y a la necesidad de pervivir en su ser, siempre, eternamente su yo mismo por los siglos de los siglos. Así lo reconoce: "Es a nosotros mismos, es nuestra eternidad lo que buscamos en Dios; es que nos divinice" (25). De esta forma, "Dios y el hombre se hacen mutuamente; en efecto, Dios se hace o se revela en el hombre, y el hombre se hace en Dios" (26). Y Dios se revela en el hombre, porque es ni más ni menos que "la proyección de mi yo al infinito" (27), pero el hombre a su vez se hace Dios eterno, inmortal. Pues esta es la relación principal por no decir exclusiva que tiene el hombre con Dios. "El consentimiento unánime —¡supongámoslo así!— de los pueblos, o sea el universal anhelo de las almas todas humanas que llegaron a la conciencia de su humanidad que quiere ser fin y sentido del Universo, ese anhelo que no es sino aquella esencia misma del alma, que consiste en su conato por persistir eternamente y porque no se rompa la continuidad de la conciencia, nos lleva al Dios humano, antropomórfico, proyección de nuestra conciencia a la Conciencia del Universo, y que no es el *ens sumum,* el *primum movens,* ni el creador del Universo, no es la Idea-Dios. Es un Dios vivo, subjetivo —pues que no es sino la subjetividad objetivada o la personalidad universalizada—, que no es más que mera idea, y antes que razón es voluntad" (28). En 1903 escribía: "Dios viene a

(24)   Ibid., 871.
(25)   Ibid., 893.
(26)   Ibid., 882.
(27)   Ibid., 886.
(28)   Ibid., 879.

ser nuestro yo proyectado al infinito. Esta proyección le hace, a la vez que algo como nosotros, algo en que podemos confiar, porque sus caminos y procederes son como los nuestros, una potencia antropomórfica, algo también enteramente diferente como puede serlo lo infinito de lo finito, algo ante lo cual hay que temblar, porque puede sorprendernos, cuando menos lo creamos, con alguna cosa inesperada" (29).

En esta cita se advierte muy claramente lo que Dios significaba para Unamuno: la promesa de inmortalizar el propio yo. Sin embargo, hay aquí cierta relación con la posición cristiana, al equiparar Dios y hombre en cuanto personas, pero también al separarlos como pertenecientes a categorías totalmente distintas: a lo infinito Dios y el hombre a lo finito. Pero poco a poco, la posición de Unamuno se va haciendo cada vez más exclusivista, más antropomórfica hasta llegar al pensamiento, indefectiblemente heterodoxo, de considerar a Dios como un apéndice y, desde luego, un producto del hombre. Se advierte esto en el párrafo citado de *Del sentimiento,* y aún más en este otro: "Es el furioso anhelo de dar finalidad al Universo, de hacerle consciente y personal, lo que nos ha llevado a creer en Dios, a querer que haya Dios, en una palabra. ¡A crearle, sí!"... "Hemos creado a Dios para salvar al Universo de la nada, pues lo que no es conciencia y conciencia eterna, conciencia de la eternidad y eternamente conciente, no es nada más que apariencia... Y necesitamos a Dios para salvar la conciencia; no para pensar la existencia, sino para vivirla" (30).

A medida que avanza en años la exposición de la doctrina se va haciendo más clara. Hacia 1933 escribe en un artículo llamado *Egologías y consistidurías:* "Dios es el Universal concreto...; el Alma del Universo, o dicho en crudo, el yo, el individuo personal, eternizado e infinitizado. Toda Teología es una *egología* y por eso aquel nuestro Fray Juan de los Angeles exclamó en un arrebato de divino egoísmo: '¡Yo para mi Dios y Dios para mí, y no más mundo!' "... "Dicho

(29)   Ibid., I, 460.
(30)   E., II, 868-9.

llanamente: que al poner a Dios, a mi Dios, sobre todo y por encima de la patria y de la religión, del Estado y de la Iglesia, del Imperio y del Pontificado, declaro que hay algo que no puedo ni debo sacrificar ni a la patria, ni a la religión, ni al Estado, ni a la Iglesia. ¿Qué es esto?" (31). No hace falta contestar, pues todos sabemos ya lo que Unamuno no puede sacrificar a nada ni a nadie.

En esta textura no puede aceptar ninguna idea de Dios o de la realidad que vaya en contra de lo que es su verdadero Dios: el *yo*. Así habla de la experiencia mística, "cuyo peligro es, por otra parte —dice—, absorber en Dios la propia personalidad, lo cual no salva nuestro anhelo vital" (32). Las mismas razones le asisten para negar todo panteísmo, pues "decir que todo es Dios, y que al morir volvemos a Dios, mejor dicho, seguimos en El, *nada vale a nuestro anhelo;* pues si es así, antes de nacer estábamos en Dios, y si volvemos al morir en donde antes de nacer estábamos, el alma humana, la conciencia individual, es perecedera. Y como sabemos muy bien que Dios, el Dios personal y consciente del monoteísmo cristiano, no es sino el productor y sobre todo el garantizador de nuestra inmortalidad, de aquí que se dice y se dice bien, que el panteísmo no es sino un ateísmo disfrazado. Y yo creo que sin disfrazar" (33). Por las mismas razones no acepta la solución nietzscheana de la vuelta eterna, ni la científica que incorpora el espíritu a la materia, y le convierte en eterno en virtud de las permanentes variaciones de la materia creadora de mundos. Tampoco acepta la solución de la filosofía aristotélico-tomista, según la cual alcanzaremos en el otro mundo "una visión beatífica, una contemplación amorosa en que esté el alma absorta en Dios y como perdida en El", pues considera esto un aniquilamiento de la conciencia "y el alma, mi alma, al menos —escribe don Miguel—, anhela otra cosa, no

---

(31)   CI., 152-3.
(32)   E., II. 797-8.
(33)   E., II, 809. Posteriormente encontramos en Unamuno una inclinación a la religiosidad panteísta. Sin duda hay aquí una superación del punto de vista egocéntrico, como ya hemos visto y seguiremos viendo.

absorción, no quietud, no paz, no apaciguamiento, sino eterno acercarse sin llegar nunca, inacabable anhelo, eterna esperanza que eternamente se renueva sin acabarse del todo nunca. Y con ello un eterno carecer de algo y un dolor eterno. Un dolor, una pena, gracias a la cual se crece sin cesar en conciencia y anhelo" (34). Es mejor no llegar nunca, ya que "si el que ve a Dios, según las Escrituras, se muere, el que alcanza por entero la verdad suprema queda absorbido en ella y deja de ser" (35).

Todos los conceptos religiosos de Unamuno giran, por tanto, en torno a su yo y están supeditados al deseo de preservar y perpetuar a éste. El P. Oromí reconoce que Dios para él "no es más que la personalización del Universo como efecto de nuestra voluntad" o en otros términos "es la proyección al infinito de nuestra propia conciencia para salvar a ésta de su propio aniquilamiento". Está de acuerdo González Caminero al afirmar que en Unamuno "Dios prácticamente se confunde con una exaltación vibrante y enorme de su propio yo divinizado". Y no creo que sea necesario hacer nuevas citas, de las que quizá el lector se canse, para convencernos de que Dios es para don Miguel, simplemente el garantizador de su ansia de inmortalidad. Pues si el centro de gravitación de toda su obra es el problema de la inmortalidad y de la conciencia, no se le ha ocurrido pensar en Dios, desde luego, "hasta que no ha sentido necesidad de un inmortalizador que le salve la luz de su conciencia" (36).

Dios se nos aparece a través de esta visión como una justificación de su ansia de inmortalidad y, en definitiva, de su egocentrismo. Pues, como dice Aranguren: "De Dios en sí nada importa. Ni sé ni se puede seguir hablando, en rigor de religión, cuando no se tienen ojos más que para... 'el único problema vital, el que más a las entrañas nos llega, el problema de nuestro destino individual y personal, de la inmorta-

---

(34)   E., II, 958.
(35)   Ibid., 265.
(36)   UTI., 287.

lidad del alma' " (37). Por eso no podemos aceptar con Marías que la confianza personal y amistosa en Dios fuese el estrato más hondo de las creencias de Unamuno y tampoco que creyese al mismo tiempo que para lograr la inmortalidad, para merecerla, tuviese que anhelarla vivamente, angustiarse hasta dudar de ella. "En el fondo —nos dice— se agita para tener una personalidad singular y única, y que así no lo olvide Dios. Cuando Unamuno se convierte un tanto en espectáculo, y aún se deleita en él, por debajo de todo está haciendo gestos extremados ante la faz de Dios, para que lo tenga presente, no lo confunda con nadie y así lo llame luego por su nombre para darle vida" (38).

No lo creemos así. Unamuno se agita para "¡ser mirado, ser admirado!, ¡dejar nombre!", según su célebre exclamación, pues la más terrible vanidad es lo que alienta bajo todas sus manifestaciones. Y de ellas su doctrina religiosa sobre Dios y la inmortalidad no se salvaban ciertamente, ya que en el fondo de sí mismas constituían la racionalización o justificación de un egocentrismo, en el que lo más importante viene dado por el afán de notoriedad, o sea, vanidad insatisfecha. Por eso puede decir González Caminero que "su amor propio, satánicamente exacerbado, triunfó de la sumisión debida a Dios y le impulsó a desarrollar su vida según las normas modernas de la plena autonomía. En último término decidió seguir los impulsos de su temperamento fuertemente egocéntrico por encima de todas las normas razonables y de todos los preceptos divinos. A trueque de ser original, aplaudido por las gentes, glorificado por la Historia, y no dejar atrofiada ninguna posibilidad, legítima o ilegítima de manifestar su vida, despreció la verdad y la virtud, y conculcó, al menos teóricamente, hasta los fundamentos primeros de la moral cristiana" (39).

Toda esta exposición, donde el egocentrismo y la vanidad juegan un papel tan importante, nos lleva a la sospecha de

---

(37)   J. L. Aranguren: *Sobre el talante religioso de Unamano.* "Arbor", n. 36. Madrid, 1948.
(38)   MU., 155.
(39)   UTI., 306.

que, por debajo de la ideología unamuniana, lo único realmente verdadero sea el afán de gloria, el deseo de renombre. Sobre esto discurriremos a continuación.

2. La primacía de la vanidad.

A estas alturas el lector habrá adivinado ya nuestra tesis. La consecuencia se desprende por sí sola y todo el mundo puede confirmar con nosotros que el egocentrismo manifestado bajo la apariencia de una vanidad arrolladora es el rasgo psicológico que se halla bajo todas las manifestaciones intelectuales de Unamuno.

Quizá algún lector se pregunte si el egocentrismo unamuniano no se inclina más al orgullo que a la vanidad. No lo pensamos así. Orgullo es la convicción que tenemos de nuestro propio valer como superior a lo que es en realidad, convicción que el orgulloso arranca de la consideración de sí mismo sin comparación ni relación con nada ni con nadie. Por el contrario, el vanidoso considera también que él es superior a los demás, pero solo cuando es capaz de arrancar esa convicción a los otros, aunque él mismo esté convencido de su mínimo valer; el vanidoso se alimenta, pues, de apariencias, siempre que con ellas logre provocar la admiración de los demás.

Unamuno tenía un conocimiento seguro de su valía intelectual, y en ese sentido podía decir —y lo dijo— con don Quijote: "Yo sé quién soy", actitud que algunos pretenderán tachar de orgullo; sin embargo, en este aspecto nunca sobrepasó los límites normales. No ocurrió así en lo que respecta a la vanidad que alcanza grados de patológica; pues las pretensiones de Unamuno en este sentido sobrepasan, desde luego, el deseo de que se reconozca su talento, sino que aspira a ser admirado y aplaudido —sin relación alguna con su valía real— por toda clase de hombres y países, alcanzando fama universal y, si fuese posible, cósmica. No se trata, por tanto, en el caso de este pretendido filósofo de encontrar la verdad, sino de ser famoso y admirado por las gentes. La vanidad es el motor que mueve, no sólo su pluma, sino su lengua y su corazón.

Ahora bien: Unamuno no podía reconocer semejante inmoralidad intelectual. Por ello justifica su vanidad con el anhelo de inmortalidad personal que, al ser invalidado por la razón permite la salida a la vanidad mediante el subterfugio de una inmortalidad "aparencial" del nombre y de la fama.

Este "arreglito" (*arrangement*) de que se valió para justificar su vanidad explica el que de todos los problemas del hombre y la filosofía, sólo se fije en el de la inmortalidad, y a través de él vea también el problema de Dios. Desde luego, la unilateralidad de sus consideraciones sobre la divinidad, en las que sólo atiende a la relación inmortalizadora de Dios con el hombre, sólo se explica desde este punto de vista puramente egocéntrico.

Por otro lado, la función del deseo de inmortalidad personal no se limita a justificar o dar una apariencia moral al deseo egoico de satisfacer la vanidad, sino que también constituye una etiqueta preservadora de todo fracaso en la satisfacción de ésta, pues así Unamuno podría soportar el no alcanzar la fama apetecida, con la convicción de que él lo que verdaderamente anhela es la inmortalidad más allá de la muerte y que la sobrevivencia histórica en este mundo es sólo un sustitutivo de segundo grado. Por eso es constante en don Miguel la afirmación de que la fe no se conforma con la negación que la razón hace del anhelo de inmortalidad personal. Y así, lo que la razón niega es vuelto a afirmar por la fe, que, a su vez no se resigna a vivir sola y pide ayuda a la razón, la cual vuelve a negar nuestro anhelo permitiendo la salida de la vanidad; más tarde la fe en la inmortalidad vuelve por sus fueros y la razón se le opone nuevamente. Y de esta agonía trágica surge toda su filosofía de congoja y angustia.

Sin embargo, lo que producía la verdadera angustia de Unamuno no es esta lucha, lucha dialéctica, intelectual, que es incapaz de producir la auténtica resonancia afectiva de los conflictos hondamente humanos, sino el miedo a descubrir la realidad que anidaba bajo esa "máscara" que era todo su sistema filosófico-religioso y con ello también el temor al fracaso de su deseo de renombre.

En este sentido, en Unamuno se dan los dos síntomas que constituyen los rasgos centrales del carácter neurótico, según lo ve la Psicología individual. Por un lado, un incontenible afán de notoriedad, un "endiosamiento" *(complejo de Jehová)* muy significativo, en el que se siente al propio yo como algo de extraordinaria valía; por otro, fuertes sentimientos de inferioridad que dan al sujeto la sensación de caer en un negro abismo donde habita la angustia.

Efectivamente, sobre el primer síntoma no creo que sea necesario insistir, puesto que sobre él ha estado vertida nuestra atención durante todo el estudio que venimos haciendo: solamente, como dato curioso queremos indicar esa equiparación entre Dios y el yo, proyección Aquél de este último, índice inequívoco del "endiosamiento" a que Unamuno aspiraba; por otro lado, sobradamente patente en la alta valoración de su propio yo. En su tragedia *Soledad* se desarrolla este significativo diálogo:

"AGUSTÍN.—Seré autor, actor y público. Me representaré a mí mismo y para mí mismo, para mi propio goce. ¡Autor, actor y público!

PABLO.—¡Y empresario!

ENRIQUE.—¡Y Dios!

AGUSTÍN.—¡Autor, actor y público, repito! ¡Padre, Hijo y Espíritu Santo! Y un solo Dios verdadero... ¡Yo!" (40).

Pero el segundo síntoma es casi tan claro como el primero y una serie de textos vendrán a corroborarlo sin la menor duda. Hemos dicho que la sobrevaloración del yo, el sentimiento de superioridad, puesto de manifiesto en el afán de notoriedad y la satisfacción de la vanidad, tratan siempre de compensar los originarios sentimientos de inferioridad que anidan en las capas profundas del subconsciente, cerrando el paso a cualquier inseguridad de nuestra vida personal. Ni más ni menos así lo reconoce Unamuno, cuando se queja de los que quieren ver orgullo en sus salidas de tono: "¿Orgullo querer dejar nombre imborrable? —dice—. ¿Orgullo?... Ni eso es

---

(40)   TC., 604.

orgullo, sino terror a la nada. Tendemos a serlo todo, por ver
en ello el único remedio para no reducirnos a nada. Queremos
salvar nuestra memoria, siquiera nuestra memoria. ¿Cuánto
durará? A lo sumo lo que durare el linaje humano. ¿Y si sal-
váramos nuestra memoria en Dios? Todo esto que confieso
son, bien lo sé, miserias; pero del fondo de estas miserias
surge vida nueva y sólo apurando las heces del dolor espiritual puede llegarse a gustar la miel del poso de la copa de la
vida. La congoja nos lleva al consuelo" (41).

Quizá se echa de ver mejor lo que realmente su filosofía
representaba para él en este párrafo en que la caída en uno
de sus feroces sentimientos de inferioridad le hace clamar con
sinceridad desgarradora: "El triste dejo del triunfo es el des-
encanto. No, no era aquéllo. Lo que hiciste o dijiste no mere-
cía los aplausos con que te lo premiaron. Y llegas a casa y te
encuentras en ella solo, y entonces vestido como estás te echas
en la cama y dejas volar tu imaginación por el vacío. En nada
te fijas, en nada concretas tu imaginación; te invade un gran
desaliento. No, no era aquello. No quisiste hacer lo hecho, no
quisiste decir lo dicho; te aplaudieron lo que no era tuyo. Y
llega tu mujer rebosante de cariño, y al verte así, tendido, te
pregunta qué tienes, qué te pasa, por qué te preocupas, y la
despides, acaso desabridamente con un áspero y seco: ¡Déjame
en paz! Y quedas en guerra. Y en tanto creen los que te cen-
suran que estás embriagado con el triunfo, cuando en verdad
estás triste, muy triste, abatido, enteramente abatido. Te has
cobrado asco a ti mismo; no puedes retrotraer el tiempo y decir
a los que iban a escucharte: 'Todo esto es mentira; yo ni aún
sé lo que iba a decir; aquí venimos a engañarnos; voy a ponerme en espectáculo; vámonos, pues, cada uno a nuestra
casa, a ver si se nos mejora la ventura y adobamos nuestro
juicio.' " "El lector echará de ver de seguro que escribo estas
líneas bajo un apretón de desaliento. Y así es. Es ya de noche,
he hablado esta tarde en público y aún se me revuelven en el
oído tristemente los aplausos. Y oigo también los reproches, y

(41)   E., II, 779-80.

.me digo: ¡Tienen razón! Tienen razón: fue un número de feria; tienen razón: me estoy convirtiendo en un cómico, en un histrión, en un profesional de la palabra. Y ya mi sinceridad, esta sinceridad de la que he alardeado tanto, se me va convirtiendo en tópico de retórica. ¿No sería mejor que me recogiese en casa una temporada y callase y esperase? Pero, ¿es hacedero esto? ¿Podré resistir mañana? ¿No es acaso una cobardía el desertar? ¿No hago algún bien a alguien con mi palabra, aunque ella me desaliente y apesadumbre? Esta voz que me dice: ¡Calla, histrión!, ¿es voz de un ángel de Dios o voz del demonio tentador? ¡Oh, Dios mío! ¡Tú sabes que te ofrezco los aplausos lo mismo que las censuras; Tú sabes por dónde y adónde me llevas; Tú sabes que si hay quienes me juzgan mal, me juzgo yo peor que ellos; Tú, Señor, sabes la verdad; Tú, sólo; mejórame la ventura y adóbame el juicio, a ver si enderezo mis pasos por mejor camino del que llevo!" (42).

En este párrafo Unamuno nos ha abierto de par en par su alma sin que nada nos deje lugar a dudas. No creo que sea necesario citar otros párrafos de angustia en que el sentimiento de inferioridad se manifiesta tan claro como aquí, pero si al lector le interesa le remitimos a *Cómo se hace una novela*, donde éstos abundan, y también a los diferentes lugares de nuestro libro en que muchos de ellos han sido citados. No cabe duda. Se le ve a Unamuno a través de su vida y de su obra, y ello parece quedar claro con nuestro análisis, como un introvertido constantemente obsesionado por la valía de su yo, dando gritos interminables en uno y otro libro, a lo largo de este y aquel ensayo, para ocultar el profundo desvalimiento que en el fondo de su alma le carcomía, ese desvalimiento que le hacía sentirse terriblemente inferior y le impulsaba nuevamente sin descanso a seguir bramando en las conferencias, a realizar inquietantes piruetas intelectuales en los libros y a desaforar sentencias con sus amigos por la carretera de Zamora de aquella Salamanca a la que tanto amaba. Pues como él mismo nos dice en otro lugar: "¿Qué es si no

---

(42)   E., II, 298.

el espanto de tener que llegar a ser nada lo que nos empuja a querer serlo todo, como único remedio para no caer en eso tan pavoroso de anonadarse?" (43). También en su drama *La Esfinge,* Eufemia se lo dice a su marido, a Angel, que personifica a Unamuno: "Como vives lleno de ti mismo crees que muriéndote tú se acaba el mundo, y la muerte significa para ti la nada..." (44).

El delirio de grandeza de Unamuno se ve acuciado por la angustia que nos produce el abismo de no ser nada. "De no serlo todo y por siempre, es como si no fuera, y por lo menos ser todo yo, y serlo para siempre jamás. Y ser todo yo es ser todos los demás. ¡O todo o nada! Y qué otro sentido puede tener el '¡ser o no ser!' " (45). Pero ¿es que entre "todo" y "nada" no hay algún término medio? ¿Es que el hombre y su naturaleza no se caracterizan precisamente por su limitación? En el enfrentamiento con este dilema irreal se observa claramente el carácter neurótico de Unamuno, pero ¿padeció él una auténtica neurosis? Esto es cosa que veremos a continuación.

(43)   E., II, 348.
(44)   TC., 241.
(45)   E., II, 764.

II. LA POSIBILIDAD DE UNA NEUROSIS EN UNAMUNO

1. *Fenomenología de la neurosis*

Las investigaciones de la medicina no han llegado a adquirir un punto de vista definitivo en torno a la problemática de las neurosis. Este tema ha sido debatido por la medicina, el psicoanálisis, la psiquiatría y la psicología, sin que hayan podido ponerse de acuerdo en cuestión tan difícil. Hanselman recoge cincuenta definiciones de lo que es una neurosis y Bumke nos asegura que no ha habido cuestión que creara mayor confusionismo en toda la historia de la medicina. Quizá la Medicina psicosomática ha establecido en este terreno una base más o menos segura sobre la que poder obtener alguna claridad; es indudable que su concepción personalística de la neurosis ha tomado, sin duda alguna, carta de naturaleza. Desde Freud a Weizsäcker el camino no ha sido baldío. Sin embargo, en un trabajo como el presente no es posible llegar a un estudio exhaustivo, ni siquiera global del tema. Hemos de limitarnos a su aspecto fenomenológico, sin llegar a las implicaciones psicopatológicas.

En este sentido es indudable que la teoría psicoanalítica ha realizado una tarea que no ha sido superada, aunque se haya de rechazar desde el principio la interpretación pansexualista de Freud y quedarnos con la llamada neurosis unitaria, común denominador de la mayoría de las neurosis y psicopatías. En su dimensión fenomenológica, la neurosis se nos aparece como resultado de una desarmonía de la personalidad, bien por falta de adaptación a la sociedad, bien por falta de integración de las distintas capas del sujeto, que se nos muestra siempre como un ser desequilibrado. En definitiva, podemos considerar la neurosis desde este punto de vista, no como una enfermedad, sino como una forma anómala de desarrollarse o de reaccionar el individuo ante los problemas del mundo o de los distintos niveles del sujeto, por incapacidad de éste para hallar una solución armónica apropiada; los cuadros clínicos con que puede ofrecerse (histerismo, neurastenia, neurosis de angustia, obsesivas), dependen de las tendencias disposicionales del sujeto (1).

Sin embargo, para una mayor comprensión de lo que sea una neurosis resulta necesario dibujar un cuadro más completo. La Medicina psicosomática ha tomado para este fin el esquema de la neurosis de Alfred Adler. Según este autor, la neurosis sería la utilización automática de síntomas, en defensa del prestigio amenazado, sin que el enfermo lo comprenda y se haga cargo de ello. Más que una enfermedad sería una actitud —la del hombre desalentado y reprimido sobre sí mismo—. Pero comprender esta actitud requiere que aclaremos los conceptos claves de la Psicología individual.

La base para la formación del carácter, según esta escuela, son los sentimientos de inseguridad e inferioridad que padecemos en nuestra infancia o también posteriormente, por una falta de adaptación a la realidad, procedente bien de una deficiencia de nuestros órganos, bien de una educación inadecuada. Pero lo importante no es, en estos casos, la inferioridad, sino el sentimiento de la misma, que lleva siempre consigo el impulso de compensarla en la totalidad de la personalidad mediante lo que se llama *tendencia al valimiento*. Esta tendencia está animada por un ansia de poder, fuerte sentimiento de la personalidad, que tiene como fin lograr la seguridad del yo y dominar su inferioridad. Con este fin el sujeto se construye un ideal o línea directriz en un mundo de ficciones y de apariencias *(hipercompensación),* tanto más elevado cuanto más profundo es el abatimiento. Este ideal puede desenvolverse dentro de las naturales capacidades del yo y de la realidad objetiva; pero en muchos casos no ocurre así, sino que la

_____

(1) SANTIAGO MONSERRAT ESTEVE: *Medicina Psicosomática, Neurosis y Psicopatías,* en "Patología y Clínica Médica". Agustín Pedro Pons.

descompensación entre las ansias del yo, es decir, su ideal y lo que el mundo ofrece no halla salida viable. Entonces el yo busca su satisfacción a costa del sentimiento de comunidad o, en otras palabras, de la realidad, produciéndose la neurosis. Esta, pues, no constituye otra cosa que una respuesta anormal, falsa, ficticia del yo, tendente a conseguir prevalencia; el sentimiento de inferioridad se compensa, entonces, socialmente llamando la atención de todos hacia el neurótico y sus problemas.

El neurótico trata de conseguir que la realidad se adapte a su ideal, sin poder nunca, como es natural, conseguirlo, haciéndose sufrir a sí mismo y a los demás. En este sentido, el neurótico se aparta de la finalidad normal y moral de toda vida, impulsada por el sentimiento de comunidad, las necesidades reales de la sociedad, para implantar en su lugar una finalidad egocéntrica que le haga valioso a los ojos de los demás. Existe, pues, una finalidad en el neurótico, en la que no colaboran todos los estratos psíquicos de la personalidad, en el armonioso y normal desarrollo del hombre, sino que hay una postura deficiente y falsa.

Desde este punto de vista, la neurosis tiene, primordialmente, la "misión" de desviar al hombre de su fin. Se produce en esta desviación un trastorno de la "conexión del todo" como reacción unitaria de la personalidad, que lleva un intento de solución con la tendencia a *refugiarse en la enfermedad,* huyendo de sus deberes con la realidad, lo que acentuará el sentimiento de inferioridad, pero también con una *ganancia de la enfermedad,* pues mediante ella el neurótico logra atraer la atención de los demás hacia sí y sus problemas; he aquí la importancia de la vanidad en estos conflictos. Se produce, por tanto, en ellos, una tensión entre la realidad y el yo, entre la finalidad del hombre como ser inscrito en el mundo y su finalidad como individuo herido por la inferioridad y que no puede enfrentarse con la realidad. De lo que trata el neurótico en último término es de integrarse en la sociedad, pero en lugar de hacerlo por el camino normal y directo de someterse a las necesidades del sentimiento de comunidad lo hace mediante un rodeo, tratando de lograr que los demás se sometan a sus necesidades puramente individuales y egoicas. En este intento falso de aunar el sentimiento de inferioridad con su egocentrismo se produce un *arrangement* que es el "arreglito" neurótico. Por eso, en toda neurosis hay siempre una buena dosis de autoengaño, un enmascaramiento bajo el que el yo pretende vivir.

Las formas en que el neurótico trata de satisfacer su ansia de poder, su tendencia a hacerse valer, su vanidad, son muchas y tan variadas como individuos puedan existir, pues dichas formas pertenecen a algo tan individual como el *estilo de vida* propio del sujeto; sin embargo, dentro de esta variedad podemos reunir dos grandes grupos: los que utilizan planes combativos y los que los utilizan defensivos. El plan combativo consiste en la *simulación de poder* y el individuo se hace despótico, autoritario, imperativo, ordenancista, refugiándose el yo en la calumnia y en la agresividad, para herir, amargar y dominar al medio ambiente. Por el contrario, el plan defensivo está mantenido sobre la *simulación de debilidad,* humildad, flaqueza, impotencia, con lo que trata de conseguir que se le atienda y se le rodee de compasión, ayuda, afecto y consideración.

La sintomatología de las neurosis está polarizada hacia el exclusivo objeto de dominar el yo y conseguir con ello la seguridad en sí mismo. Allí donde convencido el sujeto de la falta de medios para triunfar y sobresalir se traza una conducta artificiosa de la vida podemos asegurar que hay una neurosis, sobre todo si trata de compensar al yo por medios anormales carentes de finalidad objetiva. Esta actitud falsa provocará los síntomas neuróticos; sin embargo, conviene añadir para obtener un cuadro completo algunos caracteres más que se suelen dar también en toda neurosis. Entre éstos el más característico es la angustia, en la que hay que distinguir la angustia real ante las amenazas del mundo externo, y la angustia neurótica que adquiere diversos significados, pero todos ellos en relación con la anomalía del sujeto. En primer lugar, constituye la expresión afectiva inmediata del sentimiento de inferioridad y se identifica con él; en segundo lugar, se trata de una señal de alarma ante un peligro psíquico, por lo que tiene una actividad intencional, en cuanto sirve para prevenir al yo de dicho peligro; en tercer lugar, la angustia puede constituir, en su empleo secundario, un medio para dominar la misma situación peligrosa de que ha surgido.

Por sobrevenir en una situación de peligro la angustia va siempre acompañada de soledad. El neurótico se da cuenta de que está solo en el mundo y que únicamente él es responsable de su destino. Esta sensación de soledad es muy característica y va acompañada muchas veces del planteamiento de problemas metafísicos. Suele manifestarse bajo la forma de aislamiento y extrañeza; el neurótico se extraña de la realidad, de sí mismo, de su propio estar en el mundo, y del sentido que esto tenga. Es conocido el párrafo del *Satapathrabrahma* a que López Ibor hace alusión en su libro (2): "En el principio era sólo el Atman en figura humana. Entonces dijo por primera vez: 'yo soy'. Así nació la palabra *yo*. El se angustiaba. Por eso se angustia siempre uno que se siente solo en el mundo y el Sam dijo: 'Si no hay nada fuera de mí, ¿de quién tengo propiamente miedo?' Entonces desapareció su angustia." El mismo Freud nos asegura que la angustia primordial se produce en el parto, pues el feto ha estado hasta entonces viviendo de la madre, satisfaciendo así todas las necesidades de su líbido, y cuando se rompe este equilibrio, en el momento del parto, al sentir la soledad, sobreviene la angustia. Desde ese momento siempre que el individuo se siente solo ante una nueva situación se angustia, y vuelve a replegarse sobre sí mismo, a aprestarse a la defensa nuevamente, como ocurrió en el parto.

Por último, hemos de señalar la existencia junto a toda neurosis de una necesidad catártica, que lleve a la purificación del enfermo. En todas las personalidades neuróticas encontramos este factor, bien explícitamente manifestado, bien expues-

---

(2) J. J. LÓPEZ IBOR: *La agonía del psicoanálisis*. Calpe. Buenos Aires, 1951; p. 129.

to bajo la forma de imaginaciones, ensueños, equivocaciones. Queremos hacer incapié en este aspecto, por otra parte implícito en toda la terapia psicoanalítica, porque a nuestro modo de ver tiene una importancia esencial en la obra de Unamuno, que no se puede comprender si no atendemos a esta circunstancia.

2.   La neurosis de Unamuno

La tarea que nos incumbe aquí es analizar hasta qué punto era Unamuno un neurótico. La labor que en este sentido realicemos no puede ser completa; ha de limitarse a su aspecto meramente fenomenológico, dejando a un lado su vertiente psicopatológica, que requeriría una exploración clínica imposible de hacer ya a estas alturas, en la que nos hemos de conformar con sospechas.

Si juzgamos por lo que hasta ahora llevamos expuesto no creo que haya dudas en atribuir al modo de comportamiento de Unamuno un carácter neurótico. A través de la evolución psicológica que hemos ido desentrañando se aprecia con nitidez una desviación entre su pensamiento y la realidad, entre sus intereses intelectuales y los de la sociedad en que vive. Pero esta desviación ya vimos que constituye la característica más general de todas las neurosis; nos queda únicamente averiguar hasta qué punto ese síntoma neurótico se ajusta a la fenomenología de la neurosis unitaria que acabamos de elaborar. Reagrupemos un poco los datos que poseemos.

Sabemos que la característica de sus años de madurez es el haber centrado su preocupación en torno al sentimiento de su propio yo, manifestado bajo la forma de una vanidad irreprimible. Todos los esfuerzos que hizo para justificar ese egocentrismo resultan estériles a la luz de un examen minucioso de su obra y de su personalidad. El origen de un egocentrismo semejante hay que buscarlo en la crisis de 1897 y los años posteriores. Sobre esto el lector ya tiene una información suficiente y no es necesario insistir; sólo recordar cómo esos años representan para él "la lucha de una conciencia entre la atracción de la gloria, de vivir en la Historia, de transmitir el nombre a la posteridad, y el encanto de la paz, del sosiego, de vivir en la eternidad" (3). Y también cómo, de forma engañosa, oscura y —si se puede decir así— por la espalda, se impuso la vanidad por encima de todo, traicionando el sentimiento de comunidad.

Es también conocida por nosotros la justificación de la vanidad que Unamuno realiza por medio de la inmortalidad personal, en la que la razón no le dejaba creer, pero que la fe le hacía anhelar vivamente. Unamuno identifica, por tanto, la inmortalidad personal con la eternidad, con el que en otras ocasiones llama el anhelo de la paz, del sosiego y de la vida eterna, pero esa misma inmortalidad personal impone también, al ser negada por la razón, la satisfacción de la vanidad. De esta forma la inmortalidad personal es una etiqueta que cumple el doble cometido de aunar la eternidad con la vanidad; mediante ella realiza el compromiso entre dos anhelos tan dispares y contradictorios como son el que nos dirige a Dios y el que nos impulsa al yo. Sólo así se explica que identificara a su yo con Dios y a Dios con una proyección del primero; sólo así se explica también que lograra sustituir la inmortalidad en el otro mundo, infinita y eterna, anhelo de perfección, con la inmortalidad en éste, finita y perecedera, causa de todos los egoísmos, vanidades e imperfecciones.

No existe otra alternativa, por tanto, en el análisis de la obra unamuniana que ver bajo ella un insaciable anhelo de vanidad, de afán de poder y, en definitiva, de hipercompensar, mediante una desmedida tendencia al valimiento, al deseo de superioridad personal, una inferioridad, un sentimiento de inseguridad que no le abandonaba y que tenía su raíz en lo más hondo de su yo desvalido.

La agónica concepción de Unamuno que tiene como fin el anhelo de inmortalidad personal, negado por la razón, vuelto a afirmar por la fe y sustituido por la inmortalidad del nombre, siempre en su práctica diaria y sólo en los momentos de

---

(3)   Carta a A. Canivet. Salamanca, 20-XI-1898.

congoja en su pensamiento intelectual, no es, pues, otra cosa que el enmascaramiento de su verdadero conflicto: el deseo de ser famoso y aplaudido por la gente frente al deseo de una dedicación fervorosa a Dios y a la religión. Se trata, ya no cabe duda, de ese autoengaño que constituye el "arreglito" neurótico, el *arrangement* que la psicología adleriana considera propio de toda neurosis.

El sistema filosófico de los años de madurez, su concepción intelectual expuesta en el libro *Del sentimiento trágico de la vida,* no es más que la estructura ideológica que oculta su problemática realidad, el enmascaramiento que recubre el auténtico conflicto, mantenido a costa del sentimiento de comunidad. En realidad, dicho sistema no constituye otra cosa que ese ficticio ideal que tiene como objetivo el desviarnos de la misión de nuestra vida, de nuestros deberes para con la comunidad, produciendo en nosotros ese desequilibrio neurótico, que proviene de una desarmonía entre la sociedad y el individuo insuficientemente adaptado.

Las características fenomenológicas que antes atribuimos a la neurosis se dan, como vemos, con toda precisión en la psicología de Unamuno. Pero si es necesario aportar nuevos datos no nos será difícil recoger junto a este cuadro central algunos síntomas significativos. Uno de ellos es esa agresividad tan característica suya y que se produce en la actitud neurótica como un *refugio en la enfermedad,* donde el yo se atrinchera para *simular poder* frente a los demás e imponerse mediante la fuerza, el autoritarismo y todas las formas imperativas. Mediante ella trata de satisfacer su ansia de ser atendido y dominar el ambiente en que se movía.

A esta agresividad se une la envidia que constituye también una de las manifestaciones típicas de la actitud neurótica, especialmente si aparece bajo el aspecto de vanidad. Así nos dice Adler: "En el afán de dominio y superioridad a veces llega el hombre hasta la envidia. La distancia a que se encuentra un individuo de su meta se hace sentir, como es sabido, en la forma de un sentimiento de inferioridad. Lo oprime y llena tanto que de su conducta y modo de vivir se recibe la impresión de que le falta todavía mucho para lograr lo que se propone. En su baja autovaloración su descontento acaba por medir y calcular las diferencias que existen entre él y los demás, observando lo que otros consiguen y sintiéndose empequeñecido. Esto puede ocurrir aunque posea más que otros. Todos estos fenómenos son índice de una vanidad amputada, no satisfecha, de un querer tener siempre más y de un querer poseerlo todo" (4).

Esta y no otra es la clase de envidia que se da en Unamuno; de ella hablamos al tratar de sus rasgos psicológicos particulares y remitimos al lector nuevamente a aquella parte. A la vista de todo ello no tenemos, pues, duda al afiliar dicha envidia entre las consecuencias de su neurosis.

Por otro lado, también hemos de aludir a los síntomas que se dan conjuntamente en toda neurosis y que ocupan un lugar importante en Unamuno. Nos referimos a la angustia, la soledad y la catarsis.

La angustia tiene en su obra un gran relieve. Y aunque él no nos habla de angustia, pues prefiere la palabra *congoja,* no hay dudas a este respecto. La congoja de Unamuno aparece estrechamente unida a su concepto de la *agonía,* de la que hizo su religión. Así dice que "la incertidumbre, la duda, el perpetuo combate con el misterio de nuestro final destino, la desesperación mental y la falta de sólido y estable fundamento dogmático, pueden ser base de moral" (5). Y también "la lucha es mi alimento y mi consuelo. Sí, mi consuelo. Me he acostumbrado a sacar esperanza de la desesperación misma". Sin embargo, no podemos identificar la *agonía,* que en Unamuno significa lucha, guerra, combate, contradicción, con la congoja que tiene el mismo significado que hoy aplicamos a la palabra angustia. Esa congoja se produce en él en los momentos en que se enfrenta con su sentimiento de inferioridad. No es necesario volver a repetir los párrafos en que Unamuno empieza sintiéndose inseguro y acaba por angustiarse honda-

(4)   A. ADLER: *Conocimiento del hombre.* Calpe. Buenos Aires, 1947; pp. 179-80.
(5)   E., II, 963.

mente, pero sí conviene llamar la atención sobre la señal de alarma que dicha angustia representa. Observaremos que en dichos momentos Unamuno suele preguntarse si no será un histrión, un comediante, un hipócrita, y si su vida no sería la representación de un papel extraño a sí mismo. "¿Hipócrita? —se contesta—. ¡No! Mi papel es mi verdad y debo vivir mi verdad que es mi vida" (6). Estas dudas que lo invadían tan frecuentemente respecto al sentido de su vida representan la llamada de atención ante un peligro psíquico que cada vez le llevaba a un desequilibrio mayor y con el que no llegó a enfrentarse seriamente hasta, después de 1924, en los años del destierro.

La angustia sufre diversas modificaciones, a través de las cuales aparece, como última transformación el temor a la muerte, es decir, el miedo a la desaparición de ese *ego* ficticio construido por el neurótico, en cuya representación el enfermo se figura ante la nada (7). Esta angustia ante la muerte fue una de las vivencias más constantes de Unamuno. En *Recuerdos de niñez y mocedad* nos cuenta una de estas angustias tenida, antes de los dieciséis años, en el pueblo de Ceberio, donde asistió a una boda. Nos dice: "No en la excursión de la boda, sino después... me encontraba yo una tarde, al morir de la luz, en el balcón de madera del caserío... Y me dio una congoja que no sabía de dónde arrancaba y me puse a llorar sin saber por qué. Fue la primera vez que me ha sucedido esto, y fue el campo el que en silencio me susurró al corazón el misterio de la vida" (8). La vivencia angustiosa se debió repetir, desde entonces, muchas veces, pero quizá la más honda (aparte de la crisis de 1897) fue aquel presentimiento que tuvo el último día de 1906 y del cual nos ha dejado el recuerdo en su poesía *Es de noche en mi estudio,* recogida por

---

(6)   CHN., 100.
(7)   Dice el psicoanalista Nunberg: "Como última transformación de la angustia ante el superego, aparece el temor a la muerte, es decir, el miedo producido por la producción del superego en las fuerzas del destino". (H. NUNBERG: *Teoría general de las Neurosis.* Barcelona, 1937; p. 224.)
(8)   RN., 137-8.

nosotros anteriormente. Sin embargo, sentida más o menos intensamente, la obsesión de la muerte no le abandonó ya nunca. "Este pensamiento —nos dice— de que me tengo que morir y el enigma de lo que habrá después, es el latir mismo de mi conciencia" (9). ¿Es necesario recordar al lector la angustiosa noche del 31 de mayo de 1925 que Unamuno pasó en París y de la que nos dejó dramático recuerdo en el inolvidable poema ¡Vendrá de noche!?

Pero esta angustia de morir lo que le descubre es la nada de su propio ser falsificado, de su yo ficticio; por eso, para él la muerte se confunde con el anonadamiento. Así le ocurre a Pachico Zabalbide, a quien "tales reflexiones le llevaban en la oscuridad solitaria de la noche la emoción de la muerte, emoción viva que le hacía temblar a la idea del momento en que le cogiera el sueño, aplanado ante el pensamiento de que un día habría de dormirse para no despertar. Era un terror loco a la nada, a hallarse solo en el tiempo vacío, terror loco que, sacudiéndole el corazón en palpitaciones, le hacía soñar que, falto de aire, ahogado, caía continuamente y sin descanso en el vacío eterno, con terrible caída. Aterrábale menos que la nada el infierno, que era en él representación muerta y fría; más representación de vida, al fin y al cabo" (10). Y en la Vida de don Quijote y Sancho nos dice lo mismo: "Hay veces que, sin saber cómo y de dónde, nos sobrecoge de pronto, y al menos esperarlo, atrapándonos desprevenidos y en descuido, el sentimiento de nuestra mortalidad. Cuando más entoñado me encuentro en el tráfago de los cuidados y menesteres de la vida, estando distraído en fiesta o en agradable charla, de repente me parece como si la muerte aletease sobre mí. No la muerte, sino algo peor, una sensación de anonadamiento, una suprema angustia. Y esta angustia, arrancándonos del conocimiento aparencial, nos lleva de golpe y porrazo al conocimiento sustancial de las cosas" (11).

_____

(9)   E., II, 765.
(10)   PG., 51-2.
(11)   E., II, 298-9.

Esta angustia unamuniana tuvo una resonancia somática en el área cardíaca, originando el síndrome orgánico de la vasoconstricción coronaria, que parece inseparable de la angustia psíquica. Esto ha sido estudiado con indudable acierto por Luis S. Granjel en su *Patografía de Unamuno* (12), y supone la expresión en el plano somático de la angustia ante la muerte que lo atormentó durante toda su vida. A ello hace referencia también Unamuno en sus cartas a Maragall (13) y a González Trilla (14).

Los momentos de angustia van siempre, como ya sabemos y como hemos podido comprobar en los párrafos que acabamos de citar, estrechamente unidos a una soledad que aísla y en la que las obsesiones filosóficas se suelen apoderar de nosotros. No otra cosa le ocurría a Unamuno: "Dejadme —le dice a un anónimo comunicante— que huya de la sociedad y me refugie en el campo, buscando en medio de él y dentro de mi alma la compañía de las gentes." Y sigue: "Sólo la soledad nos derrite esa capa de pudor que nos aísla a los unos de los otros; sólo en la soledad nos encontramos; y al encontrarnos, encontramos en nosotros a todos nuestros hermanos en soledad. Créeme que la soledad nos une tanto como la sociedad nos separa. Y si no sabemos querernos es porque no sabemos estar solos" (15). De esta forma todos los ensayos, toda su obra, incluso sus humanas conversaciones se convierten en monólogos o autodiálogos, como a él le gustaba decir. "¿Para qué dialogar con los demás? —nos dice—. No hay verdaderos diálogos porque las conversaciones que merecían llamarse tales son conversaciones de las que no merecen ser recordadas. Casi todos los que pasan por diálogos, cuando son vivos y nos dejan algún recuerdo imperecedero, no son sino monólogos entreverados; interrumpes de cuando en cuando tu monólogo para que tu interlocutor reanude el suyo, y cuando él de vez en vez, interrumpe el suyo, reanudas tú el tuyo.

---

(12)   *Imprensa Médica,* XVII. Lisboa, noviembre 1953.
(13)   Carta a J. Maragall. Salamanca, 15-II-1907.
         Ibid., 9-III-1911.
(14)   Carta a González Trilla. Salamanca, 10-III-1911.
(15)   E., I, 692.

Así es y así debe ser" (16). Las descripciones que hace de Pachico Zabalbide en *Paz en la guerra* coinciden en mostrarle como incapacitado para el diálogo, y ya sabemos que el protagonista de la novela es contrapunto literario del autor.

Esta incapacidad para salir de sí mismo y entrar en contacto humano y directo con el mundo era uno de los rasgos más acentuados en Unamuno, que le llevaba a sentirse aislado y extraño en medio de las gentes. Por eso pudo decir Baroja de él que su egotismo le aislaba del mundo. Lo que este sentimiento lleva consigo está claro en una de las cartas a Jiménez Ilundaín: "Siento cierta sensación extraña de soledad y de abandono. Hay momentos en que me parece estar solo y que los demás no son más que sombras, espectros que se mueven y hablan" (17). Y en las cartas a *Clarín* también hace referencia al mismo sentimiento: "Es, por cierto, una de mis mayores preocupaciones esta de que no se nos aparezcan los demás sino cual meras representaciones, y el que vivamos cada cual encastillado en su mundo e impenetrables los unos a los otros, comunicándonos por nuestras atmósferas, no por nuestro vivo ser" (18).

Nos queda todavía ver si cumple aquel requisito propio de toda neurosis, y es la necesidad catártica de que siempre va acompañada, esa purificación "hacia fuera" que nos deja en paz con nosotros mismos, al aligerar el peso que llevamos encima. Esta necesidad fue satisfecha por Unamuno mediante dos instrumentos: la verdad moral y el público.

La verdad moral es "la verdadera verdad, la verdad radical", fundamento de todas las demás verdades —la lógica y la metafísica— y consiste en "decir lo que se cree ser verdad siempre y en todo caso, pero muy especialmente cuando más inoportuno parezca decirlo". La verdad moral se confunde para él con la sinceridad y ya vimos los grandes inconvenientes, más aún, la contradicción en sí misma que supone una sinceridad a ultranza. Pero lo más importante para Unamuno

---

(16) Ibid., 693.
(17) Carta a P. Jiménez Ilundaín. Salamanca, 23-XII-1898.
(18) Carta a *Clarín*. Bilbao, 28-IX-1896.

es la expresión de esta sinceridad, el hacer de ella norma moral de convivencia. Nos lo asegura en el mismo ensayo con estas palabras: "Dicen que en la confesión de culpas lo esencial para obtener el perdón de ellas es la contricción, o siquiera a falta de ella, la atrición. No; lo esencial es confesarlas, hacerlas públicas, decir la verdad" (19).

No cabe duda que Unamuno se había dado cuenta de la fuerza curativa de toda catarsis y, por ello, es probable que mostrase aquel afán de decir todo lo que sentía y lo que pensaba en aquella Salamanca en que vivía, hasta el punto que pudiese haber escrito alguna vez: "Algunos de ellos (sus paisanos) me echan en cara que como me confío al primero que llega, y tengo con cualquiera confidencias, resulta que a todos los hago iguales y no distingo entre amigos y no amigos. No, todos son para mí hermanos, y creo que todo hermano es digno de nuestras confidencias. No he de ser yo quien responda del uso que haga de ellas" (20).

González Caminero, con acento de santidad airada, también ha sabido ver este aspecto: "Para Unamuno la máxima virtud es la sinceridad a ultranza, y el único pecado disimular los pensamientos impuros y los deseos criminales. La confesión pública, a la manera como la practicaba el desvergonzado catedrático de Salamanca, es —así pensaba él— un catarticón que todo lo purga" (21).

No obstante, la verdadera salvación de Unamuno le venía más bien de la publicación apenas ininterrumpida de sus libros; el auténtico confesonario de Unamuno era su público. Sus libros son una entrañable catarsis de su alma que le pone en comunicación con un público que le sirve de desahogo y de lenitivo para sus angustias. De aquí ese aspecto tan apasionadamente personal, tan individual, tan egoico si somos fieles que rezuman sus escritos. "De hecho también, por desgracia —vuelve a decir González Caminero (22)—, las cuartillas eran para él un desahogo de su corrompida vida interior, un sumi-

(19)   E., I, 800.
(20)   Ibid., 704.
(21)   UTI., 381.
(22)   Ibid., 376.

dero de inconfesables, impuros y demoledores pensamientos."
Y aunque una curación catártica exige otros requisitos que
no podían darse en la confesión de Unamuno, al menos le ser-
vían de calmante tras el que poder continuar su agonía. Por
ello, y a pesar de todo, podemos asegurar con certeza que,
por la continua confidencia de sus libros, Unamuno se salvaba
perpetuamente en la gracia renovada de su público que le
seguía y era fiel y al que, tras haberlo idolizado, se había sacrificado enteramente, había sacrificado sobre todo el desarrollo
auténtico, profundo y hondamente creador de su vida espiritual.

La neurosis obsesiva

A esta altura de nuestro estudio nos parece indudable la
existencia de una neurosis en Unamuno. Sin embargo, no podemos salirnos en esta afirmación del punto de vista fenomenológico que adoptamos al principio, pues pasar al plano psi-
copatológico supondría la utilización de procedimientos clínicos que no están a nuestro alcance. A pesar de todo, si hubié-
ramos de concretar más nuestro diagnóstico llegaríamos a de-
cidirnos por el cuadro de las neurosis obsesivas, cuya sintomatología psíquica es extraordinariamente semejante a la que
Unamuno presenta. En él el núcleo obsesivo estaría formado
por la idea de la inmortalidad personal sobre la que, como
hemos visto, gira todo su pensamiento, pues no puede desprenderse de ella, volviendo una y otra vez a insistir sobre
las mismas elucubraciones. Los demás síntomas son también
coincidentes. Así, por ejemplo, la inclinación al ascetismo de
los neuróticos obsesivos se aviene muy bien con la proverbial
castidad atribuida a don Miguel; lo mismo ocurre con el importante papel que en estos enfermos suele desempeñar el
poder de las ideas, el plano del *superego,* si utilizamos la terminología freudiana. Los escrúpulos, las preocupaciones exageradas, los sentimientos de culpabilidad muy acusados son
otras tantas características de las neurosis obsesivas que pueden también aplicarse a nuestro pensador.

En lo que respecta a sus aprensiones es curioso poder

confirmar lo que ya habíamos sospechado hace tiempo; se trata de que la inquietud de sus manos, que constantemente se movían, bien haciendo pajaritas, bien jugando con una miga de pan, se debía a los temores, sin duda injustificados a un reumatismo articular. Lo que, en un principio, se interpretó como un signo de su "genialidad" no es otra cosa que una manifestación de su carácter neurótico (23).

En el *Diario,* descubierto en 1957 por Zubizarreta, parece que abundan las preocupaciones por la salud. Así lo reconoce su descubridor: "En el *Diario* hay señales de preocupación por la salud. Anota que tuvo noches en las que despertó con una mano dormida, lleno de tristeza, y que fue presa de terror cuando despertó con palpitaciones"; también el mismo autor recoge dicha preocupación, a través de las cartas dirigidas a los amigos, como en ésta de Mario Sagarduy, fechada el 1 de mayo de 1897: "Más extraño y más grave a mi juicio, es lo referente a la salud. Lo que al final de tu carta me pones me hace suponer que... has vuelto a caer en la insana manía de creerte enfermo o próximo a la muerte. Esa preocupación que nunca te ha abandonado, pues a menudo he visto resurgir en tus cartas esa vieja idea en ti, de pensar que la muerte te detendrá en breve en tus proyectos, es verdaderamente funesta, y más funesta cuanto más infundada. Jamás has tenido mejor vitola (y valga la palabreja) ni has estado más sólida y realmente sano que cuando yo te he visto últimamente y no creo que aquel robusto estado en que yo te dejé al despedirte en octubre haya sido modificado por alguna dolencia".

Por otro lado, el olvido de las circunstancias que condicionaron la aparición de la neurosis es un síntoma más que también se dio en Unamuno; no sólo de las causas originarias que quizá permanecieron siempre en el subconsciente, sino también en su crisis de 1897, que fue poco a poco olvidando hasta la llegada de Fuerteventura en que "tomó las riendas del que pudo ser y no fue".

---

(23)   He recogido esta noticia del libro de Granjel que vengo citando en este estudio. el cual, a su vez, la recoge de labios del profesor Manuel García Blanco.

Una cierta conciencia del mal que le aquejaba debía poseer, sin embargo, don Miguel por ciertas anécdotas que se nos han conservado de su vida. Quizá la más sintomática es la que nos cuenta Carlos Esplá. Eran los días que Unamuno pasó desterrado en París, cuando asistía por las tardes a la tertulia de españoles del café de *La Rotonde*. Una tarde se hablaba de la posibilidad de que los matrimonios entre consanguíneos produjesen trastornos mentales en los descendientes.

—Se trata de una superstición —replicó alguien.

Don Miguel había llegado tarde, pero manifestó su disgusto por el tema poniendo mala cara; mantenía silencio y tamborileaba nerviosamente con los dedos sobre la mesa. De pronto, saltó:

—Miren ustedes. Mi madre era sobrina de mi padre, hija de una hermana suya...

—Precisamente... Ahí tenemos la confirmación —le dijo uno de los presentes.

—Esperen, esperen... Mis padres consanguíneos. Y mi hermano, loco. Pero no loco cualquiera... ¡Loco de atar!

—Bueno, don Miguel, pero usted...

—Yo más loco todavía. Buenas tardes, señores.

Y con gran enfado se levantó, se puso el sombrero de un manotazo y se marchó sin esperar a que nadie le acompañase (24).

La anécdota nos parece significativa. Sin embargo, no queremos sacar conclusiones ni juicios definitivos en este terreno genealógico, que nos parece aún demasiado resbaladizo, sino simplemente mantener una sospecha para futuros y más profundos trabajos.

3. *Las manifestaciones de la neurosis*

Las formas en que se manifiesta la neurosis de Unamuno tampoco escapan a las previstas por los psicoanalistas, pero

---

(24)   C. ESPLÁ: *Vida y nostalgia de Unamuno en el destierro.* "La Torre". Revista de la Universidad de Puerto Rico. Homenaje a Miguel de Unamuno, ns. 35-36; p. 132.

adquieren una variedad que es un índice más de su inteligencia y riqueza espiritual.

La primera manifestación, la que también ha sido más estudiada por nosotros en esta parte correspondiente a su interpretación psicológica, adquiere la forma que los psiquiatras llaman de *racionalización*. La racionalización es el proceso por el que el individuo siempre encuentra razones para justificar sus deseos sin violentarse; por eso, su nombre más apropiado sería el de *justificación,* con el que también se la conoce.

Efectivamente, toda la doctrina intelectual de la madurez de Unamuno —la expuesta en *Del sentimiento trágico,* aunque empezada ya a desarrollarse en 1900 con los *Tres ensayos* y en 1905 con la *Vida de don Quijote y Sancho,* y posteriormente a 1912, fecha de la publicación del primero de estos libros, expresada literariamente mediante la novela y la poesía—, no es sino una justificación o racionalización de su vanidad y del conflicto que el choque de ésta con el sentimiento religioso engendró en su ánimo. Todo ello ha ido siendo expuesto en las páginas hasta ahora trazadas por nosotros, pero nos parece que sólo en este momento se puede percibir la significación y valoración exacta que tiene dentro de la evolución psicológica de su personalidad.

La racionalización a que aludimos se verifica a través de la idea de la inmortalidad personal. Hemos visto cómo esta idea constituye la pantalla que oculta su vanidad, es decir, su afán de fama y gloria, pero que al mismo tiempo permite su satisfacción al ser negada por la razón, aunque exigida nuevamente por la fe. Surge, de esta oposición, una continua lucha, una agonía sin término, que se caracteriza por la contradicción entre razón y fe. En este sencillo esquema se halla toda la justificación racional con que Unamuno enmascara su auténtico anhelo, la realidad caracterológica de su personalidad. Por un lado, como hemos visto, su doctrina de la inmortalidad protege a su vanidad; por otro, el conflicto entre razón y fe ampara su verdadero conflicto entre el deseo de pervivir en la historia y la apetencia sincera de paz, de sosiego, de vivir en la eternidad. De esta forma, la racionalización cumple su cometido propio, en el transcurso de los fenómenos psíquicos, "la tarea de unir causalmente ciertos elementos ideativos contradictorios, de llenar huecos o lagunas y de producir así la impresión de lo necesario y razonable" (25).

Pero la neurosis de Unamuno no se manifiesta siempre bajo la forma de la racionalización. Ya vimos que, a partir del destierro, durante su estancia en Fuerteventura, se enfrentó con su conflicto, esa oposición entre lo que él llamaba el "yo histórico" y el "intrahistórico", originándose una actitud regresiva, caracterizada por una atención desmedida hacia etapas infantiles de su vida. Esta actitud ya estaba patente en Unamuno desde los comienzos de su vida intelectual, en ese anhelo por volver a la fe de la infancia, a las creencias sin razonar del carbonero y que le llevó a practicar el culto católico y a someterse a sus ritos y ceremonias sin participar de la doctrina que expresaban, siguiendo así el consejo que había leído en Pascal.

En estas manifestaciones observamos el sentido típico de toda *regresión* psicológica, en la que "el sujeto retrocede a fases anteriores de su desarrollo para perseguir antiguos y ya abandonados caminos y alcanzar así su objeto" (26). Esta tendencia hacia estados infantiles es algo que se halla patente en toda la producción unamuniana del destierro, especialmente en la época de Hendaya, donde —como recordaremos— soluciona su conflicto con una vuelta a la "niñez eterna". Sus poesías de esta época, sobre todo el *Cancionero,* están llenas de referencias a este tema. Las páginas anteriores que hemos dedicado a este punto abundan en citas que nos parecen suficientemente claras. Por ahora nos basta reforzarlo con esta bella poesía:

> Agranda la puerta, Padre,
> porque no quiero pasar;
> la hiciste para los niños,
> yo he crecido a mi pesar.
> Si no me agrandas la puerta

---

(25) Nunberg, op. cit., p. 155.
(26) Ibid., 226.

achícame, por piedad;
vuélveme a la edad bendita
en que vivir es soñar.
Gracias, Padre, que ya siento
que se va mi pubertad;
vuelvo a los días rosados
en que era hijo no más.
Hijo de mis hijos ahora
y sin masculinidad
siento nacer en mi seno
maternal virginidad (27).

El carácter regresivo de estos años alcanza máxima profundidad en su atracción por el tema de la madre, inspiración de toda su vida también, aunque alcanza una preocupación mayor y una elaboración más acabada en esta fase de su evolución. En ello echamos de ver la índole neurótica de este afán, pues "las fantasías referentes al claustro materno parecen estar íntimamente relacionadas con ciertos estados de ansiedad y representan simplemente intentos muy radicales de escapar al peligro, refugiándose allí donde el ser humano se encuentra más oculto y protegido" (28). Se trata de ese intento de "des-nacer", mediante el que evitamos la responsabilidad ante la vida y, sobre todo, ese enfrentamiento con la muerte que era el miedo fundamental de Unamuno.

Sin embargo, el verdadero y hondo sentido de esta atracción de Unamuno por la madre sólo puede comprenderse a la luz de la religión. Por ello el colofón de este escrito sobre la psicología de Miguel de Unamuno sólo puede ser una interpretación religiosa, en la que se alcance con claridad toda la profundidad de su espíritu.

Por último, para acabar con esta parte puramente psicológica sólo nos queda hacer una alusión a la última realidad que anida bajo su personalidad neurótica. Cuando estudiamos la formación del carácter de Unamuno pudimos ver la influencia del ambiente, principalmente en lo que se refiere al surgi-

---

(27) C., 26.
(28) Nunberg, op. cit., p. 226.

miento de su neurosis, pero no acabamos de saber cuál fue la verdadera causa, dónde se origina en él ese sentimiento de inferioridad que constituye la base de toda construcción neurótica. ¿Se trata de una neurosis social simplemente, tal como la hemos presentado en nuestra consideración fenomenológica? O, por el contrario, ¿existe un trauma psíquico en la infancia de Unamuno o una inferioridad orgánica que prefijó ya desde la más temprana edad su personalidad?

No podemos contestar a preguntas semejantes en un estudio que se limita a una descripción de su psicología, lo más profunda y exacta que nos ha sido permitido, desde luego, pero sin salirnos del plano descriptivo. Para hacer otra cosa se requeriría poseer unos conocimientos clínicos de que carecemos y también profundizar en zonas de su organismo o de su árbol genealógico que permanecen vedadas para nosotros. Lanzamos la sugerencia a algún posible estudioso.

QUINTA PARTE

LA INTERPRETACION RELIGIOSA DE UNAMUNO

I. LOS MITOS DE UNAMUNO

Los mitos

Es necesario dedicar alguna atención a la religiosidad de
Unamuno si queremos penetrar en lo más hondo de su humanidad, pues "la religión que se cree y vive, aquella en que se
crece, madura y muere, conforma al hombre con más fuerza
que cualquier otra condición, que ninguna otra influencia.
Según como sea nuestro Dios, así seremos nosotros. Nada es
comparable a esta configuración religiosa del modo personal
de ser" (1).

La religión es, pues, antes que otra cosa, el modo y la forma de nuestras relaciones con Dios. Si queremos llegar a una
visión medianamente clara de la religión de Unamuno, hemos
de abandonar sus declaraciones y atenernos precisamente a
las relaciones que con El mantuvo. Es necesario, por tanto,
descartar esa religión de la lucha y de la angustia, la inquietud y el desasosiego, que él llamara "catolicismo popular español", para atenernos a los auténticos mitos religiosos que puso
en práctica en vida y obra. No nos sirven sus declaraciones
literarias, expuestas en sus ensayos y libros, la que alcanzó
forma poética en *El Cristo de Velázquez,* pues ya vimos en
páginas anteriores que todo ello no era sino la manifestación
de su egocentrismo, hábilmente idealizado y enmascarado en
forma religiosa. Y a través de ellos lo que realmente se des-

_____

(1)   J. L. ARANGUREN: *Catolicismo y Protestántismo como formas
de existencia.* Madrid, 1952; p. 25.

cubría era la lucha entre Cristo y Lucifer, entre el yo y Dios, pero no sus auténticas relaciones con la divinidad.

Los modernos investigadores de la religión están de acuerdo en que la verdadera forma de relación religiosa, de religación, se realiza a través de los mitos eternos, pues "el mito es la expresión de una toma de conciencia viva e íntima de realidades que sobrepasan las posibilidades de definición de la razón y que el hombre no puede expresar en su totalidad vivida más que por símbolos. Una realidad que no está rodeada de mitos es una realidad que no interesa al alma y que no es, pues, religiosa" (2).

Lo que caracteriza a la mentalidad mítica es la *participación* en la vida del mundo frente a la oposición del pensamiento moderno racionalista. Esta participación se realiza mediante arquetipos, comunes al hombre y al resto del universo, sin tener en cuenta las distinciones entre los individuos, ni las de tiempo y espacio, pues lo que hace el mito es *cristalizar* en su *tipo* todas las constataciones que revelan al hombre que no está solo en su caso. El haber constatado lo que el mito expresa le salva de la neurastenia y de la neurosis. El mito es la prueba de que el hombre no se repliega sobre su situación; por el contrario, ésta no es un *caso,* sino una situación normal compartida por la vegetación, los animales, los astros. Es salvado del aislamiento y elevado a la dignidad de participante en un orden general. El mito trata, por tanto, de que el hombre tome conciencia de su situación en el mundo y se integre totalmente en él. En el centro del mito se halla siempre, por eso, el hombre, algún aspecto de la condición humana; lo que hace que aquél sea siempre antropomórfico. La gran división de los mitos se establece, en este sentido, en torno a la diferenciación de los sexos: los que simbolizan al Padre y a la Madre.

La figura del Padre lleva consigo todas las ideas de autoridad, jerarquía, deber y justicia, mediante las que expresa el carácter moral de la relación entre Dios y hombre, apelan-

---

(2)   Joseph Goetz: *La mentalité mitique chez les peuples primitifs.* París, 1958.

do por ello a la responsabilidad de nuestros actos. La figura de la Madre, por el contrario, está unida a las ideas de igualdad, ternura, amor y gracia, a través de las cuales se establece una conducta de amoroso cuidado hacia todas las criaturas y hacia la vida en general. En lo que se refiere a la religión, aquellas que recalcan el aspecto paternal de la divinidad son religiones teístas, generalmente monoteístas, que creen en un Dios personal y transcendente, mientras las que recalcan el aspecto paternal suelen ser religiones deístas y desde luego inmanentes, muy unidas a la naturaleza y sus ciclos.

El mito de la madre

Por lo que respecta a Unamuno, hombre patriarcal en el que las virtudes del varón se hallan desarrolladas al máximo, se sintió siempre atraído, en la literatura y en la vida, por la figura de la madre. En ello nos basamos para creer que la verdadera relación de Unamuno con Dios se verificó a través del mito maternal. Son ya conocidos por nosotros los textos en que Unamuno exalta este fondo profundo de toda mujer; sin embargo, es un tema tan manido, que siempre es posible encontrar algún fragmento literario en que nuevamente lo desarrolle. Así ocurre en su novela *La tía Tula,* que gira toda ella en torno a esa misma cuestión. Nos dice así: "El nos llenó la vida casi silenciosamente, casi sin decirnos palabras, con el culto a la Santísima Virgen Madre, y con el culto también de nuestra madre, su hermana, y nuestra abuela, su madre. ¿Te acuerdas cuando por las noches nos hacía rezar el rosario, cómo le cambiaba la voz al llegar a aquel Padrenuestro y Avemaría por el eterno descanso de nuestra madre, y luego aquellos otros por el de su madre, nuestra abuela, a la que no conocimos? En aquel rosario nos daba madre, y en aquel rosario te enseñó a serlo" (3).

Esta atención hacia la madre es muchas veces, sobre todo en sus novelas, descripción literaria del hambre de maternidad, que constituye simplemente una manifestación del ins-

_____

(3) TU., 42.

tinto de perpetuación y, en este sentido, se confunde con el hambre de paternidad. Pero es, además, la maternidad para él una categoría espiritual, un mito eterno a través del cual podemos buscar la salvación y entrar en un paraíso intemporal. Así dice Tula a Caridad: "Sí; eso es lo perfecto, una parejita de gemelos..., un chico y una chica que han estado abrazados cuando no sabían nada del mundo, cuando no sabían ni que existía; que han estado abrazados al calorcito del vientre materno..., algo así debe ser el cielo..." (4).

Por eso, en brazos ya de la muerte, dice Angel, el protagonista de *La Esfinge,* a su mujer: "Cántame el canto de cuna para el sueño que no acaba...; arrulla mi agonía que viene cerca...; reza por mí, por ti, por todos... Reza, reza..., a ver si cuajando nuestras oraciones nos abren una gloria, pero una gloria de sustancia, celestial y eterna..., de las almas; no terrestre y pasajera..., no de los nombres..." (5).

Y Agustín, el protagonista de otra obra de teatro, le dice a su mujer, a su esposa-madre: "Estoy dejado de la mano de Dios." "¿De la de Dios, Agustín?" —le dice ella—. Y él responde: "¡No, de la de Dios no! La mano de Dios es tu mano, mujer; Dios me la dio y sólo El me la quitará... ¡Tu mano, Sol, tu mano..., mi ancla! Mano de madre..." Y al final, cuando ya está a punto de morirse, otra vez exclama: "Dame la mano..., mano de tierra..., mano de carne..., mano de madre...; dame tu mano, Soledad, mi mano..., la de Dios..." (6).

La referencia a este sentido celestial, paradisíaco, divino de la maternidad es constante en Unamuno. En 1897, durante la crisis religiosa, por una necesidad de sentirse niño y recobrar la fe de la infancia, fe ingenua y sencilla, que no admite dudas y en la que descansa con seguridad. Posteriormente, en los años del destierro, por una vuelta espiritual a la niñez y a los temas de la niñez, así como a la atracción por el paisaje vasco de los primeros años, a la tierra maternal de la infancia, a la oriundez de la vida.

(4)   Ibid., 124.
(5)   TC., 296.
(6)   TC., 648 y 651.

Pero, en una y otra época, queda patente el sentido religioso de Unamuno en el que se aprecia sobre todo el lado maternal de la divinidad. Lo reconoce explícitamente él mismo: "Dios era y es en nuestras mentes masculino. Su modo de juzgar y condenar a los hombres, modo de varón, no de persona humana por encima de sexo; modo de Padre, para compensarlo hacía falta la Madre, la Madre que perdona siempre, la Madre que abre siempre los brazos al hijo cuando huye éste de la mano levantada o del ceño fruncido del irritado Padre; la Madre en cuyo regazo se busca como consuelo una oscura remembranza de aquella tibia paz de la conciencia que dentro de él fue el alba que precedió a nuestro nacimiento y un dejo de aquella dulce leche que embalsamó nuestros sueños de inocencia; la Madre que no conoce más justicia que el perdón ni más ley que el amor. Las lágrimas maternales borran las tablas del Decálogo. Nuestra imperfecta concepción de un Dios varón, de un Dios con largas barbas y voz de trueno, de un Dios que impone preceptos y pronuncia sentencias, de un Dios Amo de casa, *Paterfamilias* a la romana, necesitaba compensarse y completarse, y como en el fondo no podemos concebir al Dios personal y vivo, no ya por encima de rasgos humanos, más ni aún por encima de rasgos varoniles, y menos un Dios neutro y hermafrodita, acudimos a darle un Dios femenino, y junto al Dios Padre hemos puesto a la Diosa Madre, a la que perdona siempre, porque como mira con amor ciego, ve siempre el fondo de la culpa, y en ese fondo la justicia única del perdón; a la que siempre consuela, la Madre dulcísima, a la Madre de Dios, a la Virgen Madre. Es la Virgen Madre, es la Madre Purísima, la que no es sino madre y, siendo todo lo que hace ser mujer a la mujer, queda limpia de todo el barro humano para que en ella aliente e irradie tan sólo el soplo divino" (7).

Se da muy bien cuenta de esto Landsberg en sus *Reflexiones sobre Unamuno* cuando nos dice que: "No quiere sustituir su antropomorfismo con la asexuada y muerta idea racional de

_____

(7) E., II, 333.

Dios, ya que asume en la idea de Dios lo femenino transfigurado. Se adscribe por eso al culto español y católico de María, al servicio de la Madre de Dios, es decir, de Dios como Madre, y del Niño Jesús, porque en su indigencia no sólo le hace falta un Dios Padre justiciero, sino además una fuerza generosa de amor y de amparo" (8). Y cita el texto de *La agonía del Cristianismo,* donde dice: "Y ¿qué es justicia? En moral, algo; en religión, nada", pues efectivamente la religión cae más del lado de la gracia, que es femenina, que de la justicia, que es masculina.

Esta índole española del culto de la madre, insertada en una tradición que ha hecho a España —*España Virgen,* en el título de Waldo Frank—una nación femenina y mariana, tampoco ha sido desconocida por Unamuno, que nos dice: "¿No ves a este pueblo endiosando cada día más el ideal de la mujer, a la mujer por excelencia, a la Virgen Madre? ¿No le ves rendido a ese culto y hasta casi olvidado por él el culto al Hijo? ¿No ves que no hace sino ensalzarla más y más alto, pujando por ponerla al lado del Padre mismo, a su igual en el seno de la Trinidad, que pasaría a ser Cuaternidad si no es ya que la identificarán con el Espíritu como el Verbo se identificó con el Hijo? ¿No la han declarado Corredentora?" (9).

En esto se ve una vez más la españolidad de Unamuno, esa españolidad que "es una manera de ser que se trasciende, una dirección para ser algo más que español, algo más que el hombre que se es hoy, y un modo de vencer por la fe a la muerte" (10). Y de esto, en definitiva —de vencer a la muerte— es de lo que se trataba, pero ya veremos más adelante cómo el culto a la madre y el amor a España se unen para significar lo mismo, para servir al mismo anhelo.

El panteísmo. Misticismo panteísta.

Ahora bien; si está claro el mito por el que Unamuno fué atraído a la religión debemos analizar la forma religiosa en que

---

(8)   *Cruz y Raya,* loc. cit.
(9)   E., II, 332.
(10) *Cruz y Raya,* loc. cit.

a través de él avocó. El amor de la madre es omniprotector y envolvente, con lo que se encuentra siempre unido a la naturaleza, a la vida y a los ciclos cosmobiológicos. Pero también el amor de la madre es incondicional, no puede controlarse y adquirirse; su presencia da a la persona amada una sensación de dicha y su ausencia produce un sentimiento de abandono y profunda desesperación. Puesto que la madre ama a sus hijos, porque son sus hijos y no porque sean buenos, obedientes o cumplan sus deseos y órdenes, el amor materno se basa en la igualdad; todos los hombres son iguales, porque todos son hijos de una madre, porque todos son hijos de la Madre Tierra.

Estas características hacen que las concepciones religiosas en que predominan los aspectos femeninos crean en divinidades inmanentes, igualitarias, donde se reserva a la gracia un papel importante, mientras la ética y la justicia permanecen alejadas; en definitiva, se trata de la creencia en un Dios impersonal o un principio vital inmanente, que toman generalmente los rasgos del panteísmo o del misticismo.

A la vista de esta exposición se comprende el por qué de ese panteísmo que ya habíamos señalado en Unamuno durante el tiempo de su estancia en Fuerteventura y posteriormente en Hendaya, esa honda vivencia de la que ya en Castilla había gozado las primicias. "Allá arriba en el seno del silencio, tendido sobre la cumbre, donde el alma se limpia y se restaura, llenándose de una plenitud de vida silenciosa y oculta" (11), y que le inspiró tantas hermosas poesías:

> Sobre el redondo páramo tranquilo
> que los siglos al cielo le mulleron cama,
> rendido el infinito entero se recuesta,
> la inmensidad descansa.
>
> ... ...
>
> de Dios el resuello, gigante arado, pasa
> y al corte de esta recia brisa de misterio
> le sangran las entrañas (12).

---

(11)   AV., 16-29.
(12)   *Cincuenta poesías inéditas*. Madrid-Palma de Mallorca, 1948. Son Armadans.

Pero sólo la soledad de la isla en que pasó los primeros meses del destierro pudo actualizar, a la vista del mar, a través del recuerdo maternal que siempre llevaba dentro, todo el potencial místico de que era capaz. Hemos citado ya algunas poesías de esta época; sin embargo, este soneto, en el que el anhelo divino y el mito de la madre se funden con rara armonía, nos parece especialmente significativo:

Recio materno corazón desnudo,
mar que nos meces con latido lento,
baña tu azul mi oscuro pensamiento
y cuando me lo llenas ya no dudo.

Eres, postrado, del Señor escudo,
nido gigante del gigante viento
que en ti es silencio y sólo lamento
al chocar con la tierra donde sudo.

Insondables ternezas tu latido
pulso, del mundo y de sus penas noria,
nos dice al corazón en el oído;
de su augusta niñez guardas memoria,
y tu cantar, preñado del olvido,
descúbrenos el fondo de la historia (13).

El acentuar el lado maternal de la divinidad nos lleva, pues, a creer en un panteísmo que fué la religión de Unamuno en estos años. Esto ha quedado claro a través de los análisis hechos en tres capítulos anteriores de este libro y en su producción teatral y novelesca de la última época de su vida. Sin embargo, nos queda por señalar un aspecto de su religiosidad que sólo de pasada hemos confrontado anteriormente. Me refiero a la falta de ética característica de las religiones maternales. Efectivamente, ya sabemos que la figura del Padre, el justiciero, que quiere a aquellos de sus hijos que son buenos o cumplen sus deseos y mandatos, es quien introduce el elemento moral en las relaciones con la divinidad; no ocurre así con la Madre, cuyo amor es incondicional y se nos aparece más como una gracia recibida de ella que como una recompensa a

---

(13)   FP., 82-3.

nuestra conducta. Pues bien, este elemento moral está también, como era de esperar, fuera de la religión de Unamuno. No se trata del hecho, observado por casi todos los comentaristas, de que la ética no sea su fuerte y de que sostenga en este punto una actitud fideísta, sino de que su religión es esencialmente no ética, puesto que Dios, ese Dios impersonal de Unamuno, está más allá del bien y del mal.

Es esto lo que nos ha hecho ver un parentesco de esta religiosidad con las doctrinas orientales de la divinidad. Por otro lado, esa posición lleva a deslindar rotundamente a la realidad espiritual, a Dios (*Braham*), de este mundo sensible (*samsara*), reino de las apariencias (*Maya*), velo que oculta al ser divino, que permanece bajo todas las manifestaciones. Y esa separación nos lleva a despreciar las realidades de este mundo, no sólo las cosas, sino los actos humanos, la ética, que, en definitiva, pertenece a este mundo, y, por último, a reírnos de todo ello.

La doctrina de la personalidad.

Muy estrechamente relacionado con este aspecto de la religión encontramos su doctrina de la personalidad, tomada del humorista norteamericano Oliver Wendell Holmes, según la cual cada uno de nosotros lleva sobre sí tres personalidades: la real, la ideal propia o uno mismo tal cual se cree ser y la ideal ajena o tal cual le creen los demás. La primera referencia a esta teoría la hallamos en un ensayo de 1906 (14), y posteriormente, en 1920 en el prólogo a las *Tres novelas ejemplares,* donde se halla aumentada por una nueva personalidad: la que uno quiere ser. Así surgen ya cuatro personalidades en cada hombre: la real, la que se cree ser, la que se quiere ser y la que los demás ven.

La angustia de Unamuno se referirá siempre al temor de que el concepto que los demás se han forjado de nosotros llegue a encerrar al que nosotros queremos ser "en una especie de caparazón, en un duro dermatoesqueleto espiritual, en una

_____

(14)   "Sobre la consecuencia, la sinceridad" (E., I, 848).

recia corteza", y nos ahogue la espontaneidad y riqueza de nuestro ser espiritual; es la angustia, en otro sentido, de un yo inflativo que no quiere tener trabas en su ilimitada expansión. Pero Unamuno se da cuenta más adelante de que los demás no nos ven de una sola forma, sino que cada uno de nuestros prójimos nos ve de una forma distinta, así que resulta que tenemos tantas personalidades como prójimos nos contemplan.

Esta idea se encuentra literalmente desarrollada en *La novela de don Sandalio, jugador de ajedrez*. Don Sandalio no es, para el hombre que ha ido a pasar a ese pueblo unas vacaciones, más que un jugador de ajedrez silencioso, con el que pasa muchas tardes jugando y sin cambiar palabra; nuestro hombre, que nos cuenta la historia a través de las cartas a un amigo, acaba por formarse una idea de la personalidad de don Sandalio, que, al final, se descubre no coincide con la realidad y, desde luego, con la que los demás tienen de él. Este hombre, temeroso de que le destruyan la personalidad que él atribuye a don Sandalio, huye del pueblo. A través de este relato la personalidad de cada hombre se nos aparece como un espejo de mil caras, en el que cada cual se refleja a su manera. En este sentido, la personalidad deja de tener un carácter dramático para caer dentro de la aparencialidad de la existencia, subordinada a la realidad divina.

Este modo múltiple de presentarnos la personalidad alcanza alguna relación con la llamada "técnica de los espejos" de la filosofía hindú, inspirada en la doctrina de que cada uno de nosotros no posee una personalidad unívoca, sino múltiple, según la analicemos desde uno u otro punto de vista (15). A este

---

(15) Hemos de señalar la coincidencia de este hallazgo literario con el que Hermann Hesse expone en su novela *El lobo estepario*, sobre la multiplicidad de *yos* que cualquier hombre puede reflejar en un espejo adecuado (*El lobo estepario*. Buenos Aires, 1957, p. 203) y la reconstrucción de la personalidad que puede obtenerse a partir de una distinta combinación de esos *yos*.

Por otro lado, hemos de señalar también la preocupación que constantemente se halla en Unamuno sobre los espejos. La primera referencia en un artículo dice: "La sensación, que puede llegar a ser pavorosa, que yo he experimentado alguna vez, es la de quedarme un rato a solas mirándome a un espejo y acabar por verme como otro, como un extraño y decirme: '¡Conque eres tú...!', y hasta llamarme a

fin se colocan en una habitación espejos cóncavos, convexos y planos, que nos ayudan a desligarnos de la imagen que teníamos de nosotros mismos, para, de esta forma, aprender a no identificar nuestra personalidad con ninguna creación imaginativa, ya sea nuestra o de los demás, sino mantenerla siempre abierta y flexible al soplo del espíritu. Una intuición de ello debió tener Unamuno cuando hablándonos del yo concreto y del abstracto nos dice: éste, el concreto, "es el único verdadero; el otro es una sombra, es el reflejo que de nosotros mismos nos devuelve el mundo que nos rodea por sus mil espejos..., nuestros semejantes. ¿Ha pensado usted alguna vez, joven, en la tremenda batalla entre nuestro íntimo ser, el que de las profundas entrañas nos arranca, el que nos entona el canto de pureza de la niñez lejana, y ese otro ser advenedizo y sobrepuesto que no es más que la idea que de nosotros los demás se forman, idea que se nos impone y al fin nos ahoga?" (16). Pero Unamuno había ya resuelto en la época en que escribió *Don Sandalio* su lucha y había quitado importancia al yo que los demás nos forjan, había aprendido a reírse como lo hace en *Un pobre hombre rico* o *El sentimiento cómico de la vida.*

La madre y la tierra. La Madre Tierra: España

Sin embargo, observemos que se trata de la risa de un niño, de un hombre que se siente niño, que necesita sentirse niño para entrar en el regazo de la madre. Y no nos cabe ya duda, a este respecto, que la maduración religiosa de Unamuno se verificó a través del mito de la madre, por el que se sintió atraído durante toda su vida. Sus novelas, su obras de teatro, sus poesías nos traen constantes resonancias de ello, pero no se trata

---

(15)
mí mismo en voz baja; la sensación terrible del desdoblamiento de la personalidad, de convertirme en espectador de mi propia persona" (OC., X, 241). La segunda, la encontramos en el drama *La Esfinge,* donde Angel, el protagonista, se sobrecoge también al verse reflejado en un espejo y empieza a llamarse en voz baja (TC., 235-6).
(16) EM., 133.

sólo de expresiones literarias, sino que su misma vida real se halla empapada por esta veneración hacia la figura maternal, en el recuerdo fervoroso hacia su madre, de la que, si no lo supiéramos por testimonio de sus amigos, bastaría recordar que ella fue "el único freno que le retiene de escribir muchas cosas que piensa" (17); también por la memoria siempre fiel a su mujer—"¡Concha mía, mi costumbre!"—, en la que veía siempre una madre. De su mujer dice Armando Zubizarreta: "Es ella quien salva a don Miguel de su soledad, sirviendo de puente hacia la realidad, hacia el prójimo y hacia Dios." Y añade: "La experiencia del amor es una de las cosas fundamentales que separaba a los espíritus gemelos de Kierkegaard y Unamuno. Para el primero la ausencia de Regina Olsen, según reconoce en su diario, era un vacío que le impedía relacionarse íntimamente con el prójimo; la presencia de Concepción hace posible tal relación. A través de ella Unamuno tiene la mejor y más honda manera de comunicarse con el mundo" (18).

No menos importante es la nostalgia con que siempre recordó los años de la infancia, la religiosidad de su primera edad y la tierra natal, la ciudad en que vió la luz. Así la recuerda: "¡Oh, mi Bilbao, mi dulce pasado!, ¿no eres tú, acaso, toda la eternidad de mi porvenir?" (19). Y en sus *Recuerdos de niñez y mocedad,* dirigiéndose nuevamente a Bilbao: "¡Cuántas veces, abrazándote en una sola mirada desde las alturas de Archanda, acurrucada en el fondo de tu valle, agarrada a tu ría madre, cuántas veces, al contemplarte así, no he sentido que se abrían las fuentes de mi niñez e inundaban desde ellas mi alma aguas de eternización y reposo!" (20). Este amor a su patria chica se extendía luego a su patria toda, a España, en la que podemos encarnar todo el anhelo maternal de Unamuno, pues tanto a su madre como a su esposa, tanto a Vizcaya como a Castilla o Fuerteventura, podemos englobarlas en la españolidad, que fue siempre su meta. Y si algún sentido

----

(17)   Carta a *Clarín.* Salamanca, 9-V-1900.
(18)   A. ZUBIZARRETA: *La inserción de Unamuno en el Cristianismo,* 1897. "Cuadernos hispanoamericanos", octubre 1958.
(19)   OC., X, 588.
(20)   RN., 149.

tiene su obra es el de removedor de ideas, despertador de conciencias, promovedor de pasiones y, en conclusión, el de—como le llama Ernst Robert Curtius—*excitador hispaniae,* pues por este amor

a un pueblo de arrieros.

lechuzos y tahures y logreros

dicta lecciones de Caballería

con la íntima esperanza de que su verbo fuerte y apasionado, y el continuo fervor de su guerra espiritual

el alma desalmada de su raza,

que bajo el golpe de su férrea maza

aún duerme, puede que despierte un día (21).

Por eso es España patria, *matria,* madre suprema, quien le guiaba hacia Dios. Y así podía él, desterrado, artífice supremo de nuestra lengua, decir con Juan Ramón: "Por ese volver a lenguarme he encontrado a Dios en la conciencia de lo bello, lo que hubiera sido imposible no oyendo hablar en español. En la casa de Dios estoy ahora hablando y España está, en Dios, conmigo. Ahora soy feliz, madre mía, España, madre España, hablando y escribiendo como cuando estaba en tu regazo y en tu pecho" (22).

Y era este amor a España, madre, "Gran Madre", lo que le llevaba al eterno destino de todos los mortales, a la inmortalidad, pues en este amor no había impurezas como en su filosofía. Era ésta, por el contrario, con el deseo de inmortalidad personal lo que le perdía, pues era lo impuro con que trataba de compensar las taras psicológicas de su sentimiento de inferioridad, la vanidad y el orgullo, que le aturdían y ofuscaban.

(21)   Antonio Machado: *Poesías completas.* Buenos Aires, 1958, páginas 190.

(22)   "El milagro español", *Indice,* agosto 1959.

APENDICES

BIOGRAFIA CRONOLOGICA DE MIGUEL DE UNAMUNO Y JUGO

1864:   (29 de septiembre). Nace en Bilbao en la calle de Ronda, 16; suceso que había de dejar honda huella en su espíritu, pues Vizcaya fué para él "mi mundo, mi verdadero mundo, la placenta de mi espíritu embrionario, la que fraguó la roca sobre la que mi visión del universo se posa".

1875:   Empieza el bachillerato en el "Instituto Vizcaíno" de Bilbao.

1880:   (21 de julio). Obtiene el grado de bachiller en el mismo Instituto.

       (Septiembre). Pasa la Peña de Orduña con harta nostalgia, llega a Madrid y se matricula en la Facultad de Filosofía y Letras. Vive en una pensión de la calle de la Montera, donde lleva una vida muy austera. Acude al Ateneo y al Círculo Vasconavarro. Durante este tiempo abandona sus creencias y prácticas religiosas.

1883:   (21 de junio). Obtiene la licenciatura en Filosofía y Letras. Su profesor de Metafísica, catedrático Ortí y Lara, ha dejado muy poca influencia en él. No así ocurrió con el krausismo que entonces imperaba en el ambiente cultural español.

1884:   Obtiene el grado de Doctor con una tesis sobre el vascuence. Regresa a Bilbao.

1884-91: Vive en Bilbao, donde da clases particulares y prepara oposiciones a cátedras de Lógica y Latín, de Instituto; de Metafísica, de Facultad. En ninguna de ellas logró obtener plaza. Sus amigos de esta época son Pedro Jiménez Ilundaín y Enrique Areilza, con los que funda el semanario socialista "La lucha de clases". Su ideal político era el socialismo.

1884-86: Durante este período sufrió una "crisis de retroceso" en su fe analizada por A. Sánchez Barbudo en "Una conversión 'chateaubrianesca' a los veinte años". Está descrita en *Paz en la guerra* en la figura de Pachico Zabalbide.

1891:   Boda con Concepción Lizárraga, "su Concha", modelo de esposas y de madres.

(Junio). Ganó la cátedra de Lengua y Literatura Griega en la Universidad de Salamanca, a la que añadióse más tarde, por acumulación, la de Historia de la Lengua castellana. Formaban parte del tribunal Juan Valera y Menéndez Pelayo. Conoció, por entonces, a otro opositor a la misma asignatura, Angel Ganivet, con el que le unían inquietudes análogas sobre un pensamiento español auténtico.

Pasa ya este curso en Salamanca, ciudad que fué para él más que un destino administrativo, un descubrimiento incesante de sí mismo, de sus posibilidades y también de sus limitaciones. El verano lo pasa en Bilbao, algunos días en Somorrostro, donde se ambienta para su primera novela; tiene también por esta época el primer hijo.

1895:   Se recrudecen las preocupaciones religiosas. Publica *En torno al casticismo.*

1897:   Publica *Paz en la guerra.* Sufre una profunda crisis religiosa de la que sale su personalidad y su pensamiento casi totalmente forjado.

1900:   Se le nombra Rector de la Universidad de Salamanca. Vive en la casa rectoral de la calle de los Libreros. Publica los *Tres ensayos.*

1902:   Publica *Amor y Pedagogía.*

1905:   Publica *Vida de don Quijote y Sancho.*

1907:   Se revela como poeta con el tomo *Poesías.*

1913:   Publica *Del sentimiento trágico de la vida en los hombres y en los pueblos.*

1914:   El ministro de Instrucción Pública —entonces señor Bergamín— lo destituye de la rectoría de la Universidad. Traslada su domicilio a la calle de Bordadores.
Publica *Niebla.*

1917:   Publica *Abel Sánchez.*
Durante estos años vive en Salamanca dedicado a su tarea universitaria. Ejerce el vicerrectorado en la Universidad y explica sus clases. Colabora en las más importantes publicaciones españolas e hispanoamericanas.
En esta época escribe por la noche en el despacho de su casa de la calle de Bordadores. Por la tarde pasea por la carretera de Zamora, solo o en compañía de unos pocos amigos. Después de comer suele ir a tomar café al "Novelty", de la Plaza Mayor. Alguna vez acude a la tertulia del Casino.

1920:   Publica *El Cristo de Velázquez y Tres novelas ejemplares y un prólogo.*

1923:   (13 de septiembre). Don Miguel Primo de Rivera y Orvaneja,

Capitán General de Cataluña, da un golpe de Estado e implanta la Dictadura.

1924: Tras algunas campañas contra la Dictadura, el 21 de febrero se le comunica una orden de destierro. El 10 de marzo llega a Fuerteventura.

El 9 de julio se evade de Fuerteventura en la pequeña "L'Aiglón". Fuga preparada por M. Dumey, director de *Le Quotidien* y el hijo mayor de Unamuno. El 11 de julio arriban a Las Palmas. El 21 embarcan en el "Zeelandia". A últimos de agosto desembarcan en Cherburgo. La prensa internacional da una gran importancia política al acto. Se establece en París en una modesta pensión de la rue Perouge, donde pasa horas angustiosas. Huye de Soriano. Acude diariamente a una tertulia de españoles del café de *La Rotonde*. Se entrevista con Blasco Ibáñez.

1925: Publica *De Fuerteventura a París, La agonía del Cristianismo* y *Cómo se hace una novela*.

1927: Se traslada a Hendaya para estar cerca de España, en su País Vasco —sea francés o español—. Tertulias en el *Grand Café*. Entrevistas, rebeldía, paseos.

1930: (9 de febrero). La Dictadura ha caído y Unamuno atraviesa la frontera en compañía de algunos amigos.

(11 de febrero). Llega a Bilbao y en seguida a Salamanca, donde la muchedumbre lo recibe entusiásticamente y él, emocionado, exclama: "¡Ya estoy aquí, entre vosotros, en mi Salamanca!"

1933: Publica *San Manuel Bueno, mártir, y tres historias más*.

1934: Muere "su Concha", golpe del que no pudo rehacerse totalmente hasta el día de su muerte.

Se le restituye en el cargo de Rector de la Universidad con carácter vitalicio.

(30 de septiembre). Dió su *última lección* profesoral en el Paraninfo de la Universidad de Salamanca.

1935: Se le nombra Ciudadano de Honor de la República.

1936: (23 de agosto). El gobierno de Madrid le destituyó del cargo de Rector por su adhesión al Alzamiento Nacional. El gobierno de Burgos le repone entonces en el cargo.

(12 de octubre). Un incidente durante la celebración del acto académico de apertura de curso motiva su definitiva deposición del cargo rectoral y el confinamiento en su hogar de la calle de Bordadores.

(31 de diciembre). Muere en su hogar cuando estaba tranquilamente sentado junto a la camilla.

OBRAS DE DON MIGUEL DE UNAMUNO

A) OBRAS PUBLICADAS POR UNAMUNO.

En torno al casticismo, ensayos. Madrid. 1895.
Paz en la guerra, novela. Madrid, 1897.
Nicodemo el fariseo, ensayo. Madrid, 1899.
De la enseñanza superior en España, ensayo, Madrid, 1899.
Tres ensayos, ensayo. Madrid, 1900.
Amor y pedagogía, novela. Madrid, 1902.
Paisajes. artículos. Salamanca, 1902.
De mi país, artículos. Madrid, 1903.
Vida de don Quijote y Sancho, ensayo. Madrid, 1905.
Poesías. Bilbao, 1907.
Recuerdos de niñez y mocedad, autobiografía. Madrid, 1908.
La Esfinge, teatro. Madrid. 1909.
La difunta, teatro. Madrid, 1909.
Mi religión y otros ensayos, artículos. Madrid, 1910.
Rosario de sonetos líricos, verso. Madrid, 1911.
Por tierras de Portugal y España, artículos. Madrid, 1911.
Soliloquios y conversaciones, artículos. Madrid, 1911.
Contra esto y aquello, artículos. Madrid, 1912.
Del sentimiento trágico de la vida en los hombres y en los pueblos,
    ensayo. Madrid, 1913.
El espejo de la muerte, cuento. Madrid, 1913.
La venda, teatro, 1913.
La princesa doña Lambra, teatro. Madrid, 1913.
Niebla, novela. Madrid, 1914.
Ensayos, ensayo. Madrid, 1916-18.
Abel Sánchez, novela. Madrid, 1917.
El Cristo de Velázquez, verso. Madrid, 1920.
Tres novelas ejemplares y un prólogo, novela. Madrid, 1920.
La tía Tula, novela. Madrid. 1921.
Fedra, teatro. Madrid. 1921.
Soledad, teatro. 1921.
Raquel, teatro. 1921.
Sensaciones de Bilbao, artículos, 1922.
Andanzas y visiones españoles, artículos. Madrid, 1922.

Aforismos y definiciones, 1923.
Rimas de dentro, verso. Valladolid, 1923.
Teresa, verso. Madrid, 1923.
Alrededor del estilo, artículos, 1924.
De Fuerteventura a París, verso, París, 1925.
La agonía del Cristianismo, ensayo. París, 1925.
Cómo se hace una novela, relato autobiográfico. París, 1925 (Buenos Aires, 1927.)
Tulio Montalbán y Julio Macedo, teatro, San Sebastián, 1927; reeditada en 1930 con el título *Sombras de sueño.*
Romancero del destierro, verso. Buenos Aires, 1928.
Dos artículos y dos discursos, artículos. Madrid, 1930.
El otro, teatro. Madrid, 1932.
San Manuel Bueno, mártir, y tres historias más, novela. Madrid, 1933.
Medea, teatro. Madrid, 1933.
El hermano Juan o El mundo es teatro, teatro. Madrid, 1934.
Discurso leído en la solemne apertura del curso académico 1934-35 en la Universidad de Salamanca. Salamanca, 1934.

B)   OBRAS PUBLICADAS DESPUES DE SU MUERTE.

La ciudad de Henoc, artículos. México, 1941.
Cuenca Ibérica, artículos. México, 1943.
Temas argentinos, artículos. Buenos Aires, 1943.
Paisajes del alma, artículos. Madrid, 1944.
Visiones y Comentarios, artículos. Buenos Aires, 1949.
De esto y aquello, artículos, 4 volúmenes. Buenos Aires, 1954.
Cancionero, verso. Buenos Aires, 1953.
Teatro: Fedra, Soledad, Raquel encadenada y Medea, teatro. Barcelona, 1954.
Obras completas, Afrodisio Aguado. Madrid, 1958. 13 volúmenes hasta el presente.
Mi vida y otros recuerdos personales, 2 tomos. Buenos Aires, 1959.

C)   EPISTOLARIO DE UNAMUNO.

Carta a Lino Abeledo. Amaranto A. Abeledo. Un cuáquero en la Universidad de Salamanca. Referencias de Miguel de Unamuno *La Nueva Democracia.* Nueva York, julio 1951.
Carta a Juan Arzadún, *Sur,* números 119-120. Buenos Aires, septiembre-octubre 1944.

Cartas a Azorín. *La estafeta literaria,* número 11. Madrid, 25 de agosto de 1944.

Carta a Ramón de Basterra, Guillermo Díaz Plaja, "La poesía y el pensamiento de Ramón de Basterra". Barcelona, 1941.

Carta a José Bergamin. *Revista Nacional de Caracas.* Caracas, noviembre-diciembre 1946.

Cartas a *Clarín.* "Epistolario a *Clarín*". Madrid, 1941.

Cartas a Rubén Darío, Alberto Ghiraldo. "El archivo de Rubén Darío". Buenos Aires, 1945.

Cartas a Fernando Díaz de Mendoza. *Correo literario,* número 71. Madrid, mayo 1953.

Cartas a Nin Frías, Pedro Badanelli. 13 *cartas inéditas del muy vascongado don Miguel de Unamuno.* Santa Fe, 1944.

Cartas a A. Ganivet. A. Gallego Morell. "Tres cartas inéditas de Unamuno a Ganivet". *Insula,* núm. 35. Madrid, noviembre de 1948.

Cartas a A. Ganivet, M. de Unamuno y A. Ganivet. "El porvenir de España". (Miguel de Unamuno, *Obras Completas,* volumen IV, páginas 395-458.)

Cartas a García Monje, *Repertorio americano.* San José de Costa Rica, 26 de marzo de 1938.

Cartas a Casimiro González Trilla, Hernán Benítez. "Nuevo palique unamuniano". (Introducción a doce cartas de Unamuno a González Trilla.) *Revista de la Universidad de Buenos Aires,* VII, 479-551. Buenos Aires, 1950.

Carta a Guillermo Graell Moles. *Destino,* núm. 666. Barcelona, 13 de mayo de 1950.

Carta a Max Grillo. "Conversaciones con Unamuno". *Revista de América.* Bogotá, octubre 1945.

Carta a Angelo de Gubernetis. E. Della Corte, *El Español,* núm. 43. Madrid, 21 de agosto de 1943.

Carta a Nicolás Guillén. N. Guillén, *El Sol Entero.* Buenos Aires, 1947.

Cartas a Ernesto A. Guzmán, *Boletín del Instituto Nacional,* XIV, números 34-36. Santiago de Chile, 1949.

Carta a Fernando Iscar Peyra. E. Salcedo, "Casi al final. (Al margen de una carta inédita de Unamuno.) *Insula.* Madrid, 15 de abril de 1952.

Cartas a Pedro Jiménez Ilundaín y Hernán Benítez. *El drama religioso de Unamuno,* 199-458. Buenos Aires, 1949.

Cartas a Manuel Machado. *Correo literario.* Madrid, 15 de abril de 1952.

Cartas a Juan Maragall. *Epistolario entre Miguel de Unamuno y Juan Maragall.* Barcelona, 1951.

Carta a Joaquín Maurin. *La Torre,* I, núm. 4, 189-90. Puerto Rico, 1953.

Cartas a Ramón Menéndez Pidal. R. Menéndez Pidal, "Recuerdos referentes a Unamuno. *Cuadernos de la Cátedra de Miguel de Unamuno*, II, 5-12. Salamanca, 1951.

Cartas a Camille Pitollet. C. Pitollet, *De mis memorias*. "Boletín de la Biblioteca Menéndez Pelayo", XXVIII, 50-98. Santander, 1952.

Carta a Eugenio F. de la Pumariega. E. Ranch, *Sobre una carta de Don Miguel de Unamuno.* "Boletín de la Sociedad Castellonense de Cultura", XXVII, 230-33. Castellón de la Plana, 1951.

Carta a José Enrique Rodó. Pompeyo Cruz, *Unamuno epistolar.* "El Español", núm. 166. Madrid, 29 de diciembre de 1954.

Cartas a Luis Ruiz Contreras. L. Ruiz Contreras, *Memorias de un desmemoriado*, 149-82. Madrid, 1946.

Cartas a Teixeira de Pascoaes. Joaquín de Carvalho, Marginalia, *Duas cartas inéditas de Miguel de Unamuno.* "Revista filosófica", 5, 177-80. Coimbra, 1952.

Cartas a Teixeira de Pascoaes. *Indice*, núms. 65-66. Madrid, julio-agosto 1957.

Carta al doctor don José Torras y Bages, Obispo de Vich, J. Roig Gironella, S. J. *Dos cartas inéditas entre Unamuno y el doctor Torras y Bages.* "Pensamiento", VII, 355-65. Madrid, 1951.

Carta a Federico Urales. F. Urales, *Evolución de la Filosofía en España*, t. II, 205-09. Barcelona, 1934.

Cartas a Miguel Utrillo. M. Utrillo (hijo), *Unamuno-Utrillo, o nada más que un hombre.* "La Estafeta Literaria", núm. 39. Madrid, 30 de diciembre de 1930.

Carta a Emilio F. Vaamonde. *Madrid Cómico.* Madrid, 16 de abril de 1898. Recogida por F. Mota, *Papeles del 98.* Madrid, 1950.

Fragmentos de cartas de Unamuno, Bernardo G. de Candamo, *Unas cartas de Unamuno.* "Santo y seña". Madrid, 20 de noviembre 1941.

BIBLIOGRAFIA CRITICA

La bibliografía sobre Unamuno es tan abundante que más que de un acopio exhaustivo se ve necesitada de una cuidadosa selección. Este es el motivo principal que nos ha impulsado al realizar la reseña bibliográfica que exponemos a continuación. Una bibliografía muy completa se halla en el libro de Granjel, que conviene completar con las *Crónicas unamunianas* del Prof. García Blanco y los *Cuadernos de la Cátedra Miguel de Unamuno,* dirigidos también por él. Otra bibliografía también muy completa es la hecha por Federico de Onís en el número de Homenaje a Unamuno que sacó la Revista *La Torre,* de la Universidad de Puerto Rico. Una bibliografía breve, pero muy seleccionada y con indicaciones interesantes la hallamos en el libro de Ferrater Mora.

ARANGUREN, JOSÉ LUIS L.: "Sobre el talante religioso de Miguel de Unamuno". *Catolicismo y Protestantismo como formas de existencia.* Madrid, 1952. También puede verse en la Revista *Arbor,* n. 36.

AZAOLA, JOSÉ MIGUEL DE: "Las cinco batallas de Unamuno contra la muerte". *Cuadernos de la Cátedra "Miguel de Unamuno",* II. Salamanca, 1951.

BALSEIRO, JOSÉ A.: *El Quijote de la España Contemporánea.* Madrid, 1935.

BAROJA, PÍO: *Unamuno.* "La Nación", 22 de septiembre de 1940.

BASAVE, JR., AGUSTÍN: *Miguel de Unamuno y José Ortega y Gasset: Un bosquejo valorativo.* México, 1950.

BAZÁN, ARMANDO: *Unamuno y el marxismo.* Madrid, 1935.

BENÍTEZ, HERNÁN: *El drama religioso de Unamuno.* Univer. de Buenos Aires, 1949.

BLANCO AGUINAGA, CARLOS: *El Unamuno contemplativo.* México, 1959.

CLAVERIA, CARLOS: *Temas de Unamuno.* Madrid, 1953.

COLLADO, JESÚS: *Kierkegaard y Unamuno,* Gredos. Madrid, 1962.

COROMINAS, PEDRO: *La trágica fe de Miguel de Unamuno.* "Atenea", LIII, Chile, 1938.

CURTIUS, ERNST ROBERT: *Unamuno excitator hispaniae.* "Cuadernos Hispanoamericanos", n. 60. Madrid, 1954.

ESCLASANS, AGUSTÍN: *Miguel de Unamuno.* Buenos Aires, 1947.

FARRE, LUIS: *Unamuno, Williams James y Kierkegaard.* "Cuadernos Hispanoamericanos", ns. 57 y 58. Madrid, 1954.

FERRATER MORA: *Unamuno: Bosquejo de una filosofía.* Buenos Aires, 1957.

GARCÍA BLANCO, MANUEL: *Crónica unamuniana.* "Cuadernos de la Cátedra Miguel de Unamuno". Se vienen editando desde 1951.

GONZÁLEZ CAMINERO, NEMESIO: *Unamuno. Trayectoria de su ideología y de su crisis religiosa.* Comillas, 1948.

GONZÁLEZ RUANO, CÉSAR: *Vida, pensamiento y aventura de Migual de Unamuno.* Madrid, 1930.

GRANJEL, LUIS S.: *El instinto de perpetuación en la vida y en la obra de Miguel de Unamuno.* "Medicina Clínica", VII. Barcelona, 1946.

GRANJEL, LUIS S.: *Patografía de Unamuno.* "Imprensa médica", XVII. Lisboa, 1953.

GRANJEL, LUIS S.: *Retrato de Unamuno.* Madrid, 1957.

GUY, ALAIN: *Miguel de Unamuno, pelerin de l'Absolu.* "Cuadernos de la Cátedra Miguel de Unamuno", I. Salamanca, 1948.

LAÍN ENTRALGO, PEDRO: *La espera y la esperanza.* Madrid, 1957; contiene el estudio "Miguel de Unamuno o la desesperación esperanzada".

LANDSBERG, PAUL: *Reflexiones sobre Unamuno.* "Cruz y Raya", n. 31. Madrid, 1935.

LÁZARO ROS, AMANDO: *Unamuno, filósofo existencialista.* Apéndice a la ed. esp. de la obra de MARJORIE GREEN: *El sentimiento trágico de la existencia.* Madrid, 1952.

LUQUE, O. P., FRAY LUIS DE FÁTIMA: *¿Es ortodoxo el "Cristo" de Unamuno? Comentarios a un poema.* "Ciencia tomista", n. 64. Salamanca, 1943.

El Unamuno de 1901 a 1903 visto por M. (Fragmentos de cartas". "Cuadernos de la Cátedra Miguel de Unamuno", II. Salamanca, 1951.

MADARIAGA, SALVADOR DE: *Miguel de Unamuno.* "Semblanzas literarias". Barcelona, 1924.

MADRID, FRANCISCO: *Genio y figura de don Miguel de Unamuno.* Buenos Aires, 1943.

MADRID, FRANCISCO: *Los desterrados de la Dictadura.* Madrid, 1930.

MARIAS, JULIÁN: *Miguel de Unamuno.* Calpe. Buenos Aires, 1950.

MEYER, FRANÇOIS: *L'ontologie de M. de Unamuno,* 1955 (hay trad. esp. en la Ed. Gredos).

MOELLER, CHARLES: *Literatura del siglo XX y Cristianismo,* IV. Madrid, 1960.

OROMÍ, MIGUEL: *El pensamiento filosófico de Miguel de Unamuno. Filosofía existencial de la inmortalidad.* Madrid, 1943.

ORTEGA Y GASSET, JOSÉ: *Unamuno y Europa. Fábula* (1908). *Obras completas,* V. Madrid, 1947.

ORTEGA Y GASSET, EDUARDO: *Monodiálogos de Miguel de Unamuno.* Ed. Ibérica. New York, 1958.

PEMÁN, JOSÉ M.: *Unamuno o la Gracia resistida.* "ABC". Madrid, 29 de mayo de 1949.

PÉREZ-HERNÁNDEZ, MODESTO: *Estudio crítico sobre Miguel de Unamuno.* s. f.

PINILLOS, JOSÉ LUIS: *Unamuno en la crítica española de estos años.* "Arbor", n. 11. Madrid, 1948.

POMÉS, MATHILDE: *Unamuno et Valery.* "Cuadernos de la Cátedra Miguel de Unamuno, I. Salamanca, 1948.

ROMERA-NAVARRO, M.: *Miguel de Unamuno. Novelista, poeta, ensayista.* Madrid, 1919.

SALCEDO, EMILIO: *"Clarín", Menéndez Pelayo y Unamuno.* "Insula", n. 76. Madrid, abril 1952.

SALDAÑA, QUINTILIANO: *Miguel de Unamuno: Mentalidades españolas,* I. Madrid, 1919.

SÁNCHEZ BARBUDO, A.: *Estudios sobre Unamuno y Machado.* Guadarrama. Madrid, 1959.

SERRANO PONCELA, S.: *El pensamiento de Unamuno,* FCE. México, 1953.

SEVILLA BENITO, FRANCISCO: *La idea de Dios en D. Miguel de Unamuno.* "Revista de Filosofía", XII. Madrid, 1952.

TORRE, LA: *Revista de la Universidad de Puerto Rico. Homenaje a Miguel de Unamuno,* ns. 35-36, julio-diciembre 1961.

TORRE, GUILLERMO DE: *Unamuno, poeta y su Cancionero poético.* "Insula", n. 87.

TOVAR, ANTONIO: *Unamuno y su tiempo y el nuestro.* "Arriba". Madrid, 31-XII-1946.

TOVAR, ANTONIO: *Carta abierta a Hernán Benítez.* "Correo literario", n. 9. Madrid, octubre 1950.

VAL, MARIANO MIGUEL DE: *El idealismo místico: Miguel de Unamuno.* "Ateneo", IX. Madrid, 1910.

WILLS, ARTHUR: *España y Unamuno: Un ensayo de apreciación.* Nueva York, 1938.

ZUBIZARRETA, ARMANDO: *Desconocida antesala de la crisis de Unamuno.* "Insula", n. 142, 15-IX-1958.

ZUBIZARRETA, ARMANDO: *La inserción de Unamuno en el cristianismo:* 1897. "Cuadernos Hispanoamericanos", n. 106, octubre 1958.

ZUBIZARRETA, ARMANDO: *"Aparece un Diario íntimo de Unamuno.* Mercurio Peruano" n. 360. Lima, abril 1957.

ZUBIZARRETA, ARMANDO: *Unamuno en su "nivola".* "Taurus". Madrid, 1960.

INDICE DE AUTORES

INDICE GENERAL

SEGUNDA PARTE

EL MUNDO INTELECTUAL DE UNAMUNO

CUARTA PARTE

LA INTERPRETACION PSICOLOGICA DE UNAMUNO

QUINTA PARTE

LA INTERPRETACION RELIGIOSA DE UNAMUNO

APENDICES

SEMILLA y SURCO

COLECCION DE CIENCIAS SOCIALES

DIRIGIDA POR

M. JIMÉNEZ de PARGA   Y   FABIÁN ESTAPÉ

Catedrático de Derecho Político
de la Universidad de Barcelona

Catedrático de Política Económica
de la Universidad de Barcelona

VOLUMENES PUBLICADOS

CUARTA PARTE

LA INTERPRETACION PSICOLOGICA DE UNAMUNO

SEMILLA y SURCO

COLECCION DE CIENCIAS SOCIALES

DIRIGIDA POR

M. JIMÉNEZ de PARGA   Y   FABIÁN ESTAPÉ

Catedrático de Derecho Político
de la Universidad de Barcelona

Catedrático de Política Económica
de la Universidad de Barcelona

VOLUMENES PUBLICADOS

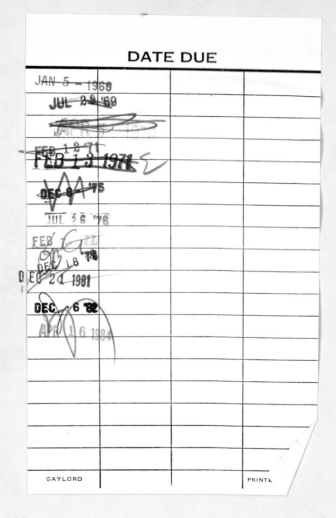

DATE DUE

JAN 5 - 1968		
JUL 2 9 69		
FEB 1 2 7		
FEB 1 3 1971		
DEC 9 '75		
JUL 1 6 '76		
FEB		
DEC 1 8 '78		
DEC 2 1 1981		
DEC 6 82		
APR 1 6 1984		
GAYLORD		PRINTE